DH.
9.95.

Sale £4.00

Oddworth Suanna a Kyn.
Mai 10 tod. 54.

Mrs. ELIZABETH WILLIAMS

BRETHYN CARTREF

gan

ELIZABETH WILLIAMS

1952

Argraffiad Cyntaf—Medi 1951
Ail Argraffiad—Rhagfyr 1951
Trydydd Argraffiad—Mawrth 1952
Pedwerydd Argraffiad—Gorffennaf 1952

ARGRAFFWYD GAN J. D. LEWIS A'I FEIBION CYF.,
GWASG GOMER, LLANDYSUL
A CHYHOEDDWYD GAN ELIZABETH WILLIAMS,
SIDCUP, CAINT

RHAGAIR

Gwnaeth Mrs. Williams gymwynas â phawb ohonom trwy ysgrifennu'r llyfr hwn. Ceir ynddo ddarlun o fywyd Cymreig sydd wedi myned heibio—i raddau pell, beth bynnag. Ond, wrth ddarllen y disgrifiadau byw a geir gan Mrs. Williams o'r bywyd hwnnw y mae dyn yn gobeithio nad yw y rhinweddau yn ogystal a'r dull o fyw ymhlith y pethau a fu. Ni raid pryderu llawer am Gymru os yw y rhuddin, y dewrder, yr ynni a'r feistrolaeth ar y gelfyddyd o fyw sydd i'w gweled yn yr atgofion yma i'w cael ymhlith ein pobl o hyd. A'r hiwmor. Y mae hwnnw yn bwysig iawn a buasai yn anodd gorchfygu rhai o'r anawsterau hebddo.

Soniwn lawer heddiw am ddiogelwch, ac y mae yn dda cael rhyw fesur o hwnnw. Ond y mae modd i ormod o ddiogelwch dynnu dan seiliau cymeriad hefyd. Ychydig iawn o ddiogelwch oedd yn y bywyd a ddisgrifir gan Mrs. Williams, yn enwedig bywyd y blynyddoedd cyntaf. Cytunem, y mae'n debyg, fod rhy ychydig o lawer iawn. Ond yr oedd cymeriadau cryf yn tyfu dan gysgod peryglon lu ac yr oedd pobl yn dysgu dibynnu arnynt eu hunain. Dewrder ydyw nodyn cliriaf yr atgofion hyn, rhyw ddewrder llawen sydd yn gweled y gwaethaf, yn ei wynebu, ac ar yr un pryd yn gweled ei ochr ddigrif. O'r tu cefn y mae ffydd, ffydd yn sylfeini'r ddynoliaeth.

Y mae peth arall yn eglur yn y llyfr. Gall Mrs. Williams ysgrifennu. Gŵyr sut i ddewis gair, i ddisgrifio ac i gyfleu. Nid yw yn amlhau geiriau, ond dywed bopeth y mae angen ei ddweud ; y mae ei phobl yn dyfod yn fyw i ni ac y mae ganddi ddawn i ddweud stori. Wrth ddarllen teimlaf fy mod innau yn gwybod sut le a pha fath bobl oedd yn y Garn pan oedd John Lloyd Williams yn dechrau ar ei waith fel ysgolfeistr yno, ac y mae'r cip a geir ar fywyd sir Fôn yn eithriadol ddiddorol. Cymer yr atgofion eu lle ymhlith yr atgofion a'r hunangofiannau gorau sydd gennym.

E. Morgan Humphreys.

I

Perrie a Rhŷs Alun

Dymunaf ddatgan fy niolch a'm dyled i Mr. Aneirin Talfan ac i Mr. E. Morgan Humphreys. I Mr. Aneirin Talfan am ddarllen y nodiadau cyntaf mewn llawysgrif a'm calonogi i 'sgrifennu y gyfrol ; i Mr. Morgan Humphreys am gyngor a chynorthwy di-ail, a'i barod-rwydd cyson i'm helpu mewn pob dull a modd. Oni bai am danynt ni fuaswn byth wedi mentro anfon y gyfrol hon i'r wasg.

Oni bai am fy mhlant ni fuaswn erioed wedi breudd-wydio rhoddi fy meddyliau ar bapur. Diolchaf iddynt o waelod fy nghalon.

ELIZABETH WILLIAMS

Awst 1951.

PENNOD I

Yn y cyfnod hwn o chwyldroadau a chyfnewidiadau, mor aml y cyfeirir at "the bad old days". Yn arferol gwneir y cyfeiriadau gan rai a sieryd â geiriau yn unig, heb wybodaeth bersonol am amgylchiadau bywyd 80 o flynyddoedd yn ôl. Hyderaf y bydd fy atgofion yn help i lenwi ychydig o gefndir hanes un gornel fach o Gymru 80 mlynedd yn ôl ; hanes teulu cyffredin—chwarelwr Cymreig, ei wraig a'i saith plentyn.

Hwyrach y dywed rhywun fod fy mrawd Dr. J. Lloyd Williams, yn ei *Atgofion*[1] wedi rhoi darlun o'r un cyfnod, yr un gornel, a'r un teulu. Gwahanol iawn yw ein hatgofion. 'Roedd ei ddiddordebau ef yn cerdded ar hyd maes mor helaeth ac eang, yn wyddonol ac yn academaidd, fel yr anghofiai fanylion bywyd beunyddiol cyffredin a oedd i mi yn bwysig. Mwy na hyn—nid â'r un olwg y gwêl merch amgylchiadau byw.

Felly, dyma fi, yn 88 mlwydd oed, yn mentro gwau fy atgofion fel darn o frethyn cartref. Hyderaf y byddant o ddiddordeb i'm hwyres Perrie, gan ei bod bob amser wedi hoffi clywed hanes dyddiau fy ieuenctid.

Ychydig a gofiaf am fy nyddiau ysgol yn Llanrwst. I'r Ysgol "Britis" yr awn a chofiaf yr ysgolfeistres—Miss Pritchard. Y côf sydd gen i amdani yw y byddai gwên ar ei hwyneb bob amser. Gyda llaw, yr oedd yn chwaer i Huw Pritchard y sonia fy mrawd amdano yn y gyfrol gyntaf o'i *Atgofion*.[2]

Un peth a gofiaf yn neilltuol am yr ysgol—diwrnod yr egsam. John Rhys (Syr John yn ddiweddarach) oedd yn *Inspector* ; Miss Pritchard yn cyhoeddi ar ddiwedd y diwrnod y byddai'r ysgol yn torri am fis, a'r *Inspector* yn dweud, yn

---

[1] *Atgofion Tri Chwarter Canrif* gan J. Lloyd Williams.
[2] Ibid, Cyfrol II, tud. 25.

Gymraeg, "Wel bobol annwyl ! mi fyddant wedi rhwygo eu dillad i gyd cyn y diwedd." Y rheswm i mi gofio hyn mor dda yw'r ffaith fod yr *Inspector* wedi siarad yn *Gymraeg*. Ni wyddwn o'r blaen y gallai *Inspector* siarad Cymraeg !

Mae John fy mrawd wedi gwau rhamant o gwmpas y Tŷ Newydd (tŷ Nain) a'r ardal, a'm nain.[1] Ychydig a gofiaf am y Tŷ Newydd, gan fod Nain wedi gadael pan oeddwn tua deg oed. Yr oedd Tŷ Newydd dair milltir o dref Llanrwst. Deuai Nain i'r farchnad bob dydd Mawrth, a chofiaf yn dda fel y cariai lond piser o laeth ar ei phen inni, a basged fawr ar ei braich yn llawn ymenyn ac wyau i'w gwerthu yn y farchnad. Rhyfeddwn mor glyfar oedd Nain, yn gallu cario'r piser llaeth ar ei phen heb golli dim. 'Doedd ryfedd ei bod cyn sythed a brwynen.

Unwaith erioed y cofiaf imi weld fy nhaid Tŷ Newydd. Mae'n rhaid mai ifanc iawn oeddwn ar y pryd. Cofiaf ef yn sefyll yng nghegin ein tŷ. Yr oedd yn dal ac yn syth fel fy nain, ond yr unig beth a dynnai fy sylw oedd ei wisg. Gwisgai het silc a chôt ddu a chynffon fain iddi, botymau pres gloyw, gwasgod amryliw, clôs tyn o liw golau yn botymu dros y pen-glin â botymau pres gloyw, 'sanau gwlân llwyd ac esgidiau isel. 'Rwyf fel pe bawn yn ei weld y foment hon. Meddyliwn ei fod yn ddyn urddasol iawn.

Cofiaf i mi gael mynd i'r Tŷ Newydd i fwrw'r Sul unwaith. Yr unig beth a gofiaf am yr ymweliad yw cinio'r Sul. Nid oedd pobty yn y Tŷ Newydd. Hen simdda fawr oedd yno ac ond edrych i fyny'r simdda gwelid yr awyr. Cadwai Nain y potiau llaeth ar un ochr i'r pentan, a'r tegell a'r crochan ar y pentan arall. Uwchben y tân 'roedd craen, a chadwyn yn hongian oddiwrth y fraich, a bach ar flaen y gadwyn. Ar y bechyn hwnnw y crogai Nain y tegell a'r crochan, a dyma sut y paratoai y cinio. Rhoddai ddŵr yn y crochan, a'r cig i fewn ynddo i

[1] *Atgofion Tri Chwarter Canrif* Cyf. I, tud. 129.

ferwi. Yna'r tatws a'r moron mewn rhwyd—y tatws yn un
pen a'r moron yn y pen arall, ac i'r crochan â nhw. Ac ar ben
y cwbwl, pwdin eirin ("rowly powly") mewn lliain.

Pan oedd y cinio yn barod synnais weld fod y tatws yn binc eu
lliw. Nid oeddwn erioed wedi gweld tatws pinc. Ni ddwed-
odd Nain lle yr oedd wedi cael y tatws rhyfedd yma. Ymhen
blynyddoedd sylweddolais beth oedd wedi digwydd—sug yr eirin
wedi berwi trwy'r lliain a llifo'r tatws yn "magenta pink"
neisia' fu erioed.

Byddwn yn mynd i'r Tŷ Newydd i 'nôl llaeth, hefo Bob
fy mrawd, ar bnawn Sadwrn. Byddai yn gas gan fy nghalon
weld y Sadwrn yn dod. Nid am fod yn gas gen i fynd i dŷ
Nain, ond yn gas gennyf feddwl am fynd yno gyda Bob. A
dweud y gwir, tipyn o *bully* oedd Bob tuag atom ni'r plant lleiaf,
ac yn arw iawn am herian. Dyma a wnâi, bob tro yr awn i'r
Tŷ Newydd i 'nôl llaeth.

Gyferbyn â'r *Abbey*, yr ochr dde i'r ffordd bost, 'roedd ffordd
yn troi at Felin Maenan. Ar un ochr i'r ffordd 'roedd hen lyn
du, ac i mi 'roedd golwg ofnadwy arno. Ar yr ochr bellaf
tyfai drain a mieri at ymyl y llyn, ac ar yr ochr nesaf i'r ffordd
'roedd wal a honno yn rhedeg i ganol y dŵr. Rhaid fod y llyn
yn bur ddwfn gan fod y wal yn wastad â'r dŵr yn y canol.

Dyma'r tric gan Bob, bob tro wrth fynd heibio. Ni
anghofiai ef byth. Dringai i ben y wal a cherdded ar hyd-ddi
nes cyrraedd y canol. Yna cymerai arno syrthio i'r dŵr, er
mwyn cael hwyl am fy mhen yn crio a chrefu arno ddod i lawr.
Pe byddwn wedi bod yn ddigon call i fynd yn fy mlaen a gadael
iddo syrthio i'r llyn, pe mynnai, buan iawn y byddai Bob wedi
dod i lawr. Ond, yn fy niniweidrwydd, ofnwn symud rhag
iddo syrthio i'r llyn a boddi.

Pan ai Mam i'r dre gyda'r nos, Dic fy mrawd fyddai yn ein
gwarchod ni'r plant lleiaf. Byddem wrth ein bodd hefo Dic.
Yr oedd mor siriol a llawen bob amser, nid wyf yn cofio iddo
erioed fod yn gas wrthym. Un da oedd Dic am ddyfeisio gêm

newydd i'w chwarae. Un gêm oedd "pysgota morfilod".
Gosodai'r cadeiriau i gyd ar un ochr i'r gegin. Bob a Dic
fyddai'r pysgotwyr, yn gorwedd ar eu hochrau ar y cadeiriau, a
ninnau'r plant lleiaf—William, Hugh, Owen a minnau—oedd
y morfilod. Dyna lle y byddem yn ymgreinio ar hyd y llawr.
Y gamp fawr i'r pysgotwyr oedd dal y morfilod heb ddod i lawr
oddi ar y cadeiriau.

Gellir dychmygu'r helynt a'r twrw a fyddai yno. Weithiau
deuai Betsi Jones, Tŷ Pen (y drws nesaf) i'r tŷ. Gwyddai fod
Mam wedi mynd i'r dre a ffaelai â deall beth oedd yr holl helynt
a thwrw a âi ymlaen. Ond chwarae teg iddi, nid wyf yn
meddwl iddi erioed achwyn wrth Mam. Ac wrth gwrs
byddai'r dodrefn yn ei lle priodol cyn i Mam ddod yn ôl, a
phawb yn edrych yn bur ddiniwed.

Un da oedd Dic hefyd am chwilota am sgram wedi i Mam
fynd allan. Cofiaf yn dda am un tro. 'Roedd Mam wedi
pobi torth frith erbyn y Nadolig a hi a Nhad wedi mynd i
gyfarfod pregethu yn Llanddoged, a gadael Dic i'n gwarchod.
Gwyddai Mam yn dda am wendid Dic a chuddiodd y dorth frith
cyn mynd. Gyda bod Mam a Nhad o'r golwg aeth Dic i
chwilota am y dorth. Bu'n bur hir yn dod o hyd iddi, ond, o'r
diwedd, fe lwyddodd. Yn un ochr i'r gegin yr oedd cwpwrdd
mawr ar y pared. Llusgodd Dic y bwrdd crwn at y cwpwrdd a
dringodd i'w ben. Cafodd hyd i'r dorth ar silff uchaf y cwp-
wrdd, yn y bocs lle cadwai Mam ei bonet Sul. Ac i lawr â'r
dorth, a chlenc i bob un ohonom. Nid wyf yn cofio sut y bu ar
Dic, druan, pan welodd Mam y difrod a wnaed ar y dorth frith.

O bob chwarae, chwarae syrcys fyddai Dic yn ei hoffi fwyaf.
Nid oedd *yard* na gerddi yn perthyn i'r tai pan oeddem ni yn
byw yno, dim ond hen gomins a phentwr o feini mawr wedi ei
gadael ar ôl adeiladu'r tai. Dyma lle y chwareuai Dic syrcys.
Gwnâi glamp o gylch o'r cerrig—lle i'r ceffylau redeg. Dic,
wrth gwrs, fyddai'r ceffyl mwyaf pwysig. Neidiai dros gortyn-
au a thrwy gylchau ag un o'r bechgyn lleiaf ar ei ysgwyddau.

Ond dyma eitem bwysicaf y syrcys. Rhedai afon fechan heibio i dalcen y tai a deuai hwyaid y Plas Isa yno i slotian. Daliai Dic ddwy neu dair o'r hwyaid. Gosodai hwy ar wastad eu cefnau ar lawr. Yna gwnâi fosiwn â'i ddwylo uwch eu pennau a'r creaduriaid bach yn aros heb symud. 'Roedd Dic wedi cael allan na allai hwyaid wedi eu rhoddi ar eu cefnau godi. Ni wyddem ni hynny ac yr oedd wedi ein cael i gredu y gallai yrru'r hwyaid i gysgu.

Fe drodd ei ddiddordeb mewn syrcys yn brofedigaeth i Dic un tro. ' Roedd Mam wedi ei anfon i'r dre, gyda phot i 'nôl pwys o driog ac wedi ei siarsio i ddal y pot triog ar i fyny. Wedi cael ei neges, yn lle mynd yn ôl ar ei union, cafodd fod siou Manders newydd ddod i'r dre, a bu'r demtasiwn yn ormod i Dic. Yn ei ddiddordeb o edrych ar yr eliffant yn gwthio'r carafanau i'w lle â'i dalcen, anghofiodd am y pot triog ac anghofiodd ei ddal ar i fyny. Pan drodd i fynd adre gwelodd fod y triog wedi rhedeg allan ar hyd ei ddillad. Credaf iddo gael teimlo blas y wialen fedw am y trosedd. Nid yn unig yr oedd wedi wastio'r triog, ond hefyd yr oedd wedi difetha ei ddillad.

Pan aeth Dic i Bont y Gath yn brentis o ôf darfu llawer o'r chwarae difyr i ni. 'Doedd fawr o chwarae yn Bob. Yr unig gêm y cymerai ddiddordeb ynddi oedd chwarae marblis. Byddai ei bocedi yn llawn marblis—nid wedi eu prynu ond wedi eu hennill oddi ar fechgyn eraill. Llawer gwaith y bum yn gwnio cŵd i ddal marblis Bob.

Ychydig amser yn ôl deuthum o hyd i lythyr a gefais gan fy mrawd, William (y diweddar Dr. W. Williams, Llandudno). Ymhlith pethau eraill disgrifiai sgyrsion Ysgol Sul Seion, Llanrwst, a ninnau'r plant yn cael mynd mewn trên am y tro cyntaf erioed. Mae'r llythyr yn ddiddorol dros ben, yn rhoi hanes y rhyfeddodau a welodd yn fachgen bach wyth oed. Mae gen innau achos i gofio'r sgyrsion honno, hyd y dydd heddiw. A dyma fy mhrofiad o'r daith. Penderfynwyd i deulu Tŷ Pen a ninnau fynd gyda'n gilydd, a Betsi Jones a Mam wedi bod wrthi'n brysur yn darparu bwyd i fynd gyda ni am y diwrnod. Buasai mynd â chriw o blant i dŷ bwyta yn fwy nag y gallai yr un o'r ddau deulu ei fforddio.

Yr oedd hen ffrind i Mam, o'r enw Mrs. Marks, wedi symud o Lanrwst ers tro i Fangor.   Felly 'roedd teulu Tŷ Pen a ninnau yn cael mynd i dŷ Mrs. Marks i ferwi dŵr a pharatoi bwyd.   Yn anffortunus, cymerwyd Owen fy mrawd bach ieuengaf, yn bur sâl yn y trên, a chymaint oedd fy ngofid weld Owen mor sâl, a helbul fy Mam, fel na welais i ddim o'r rhyfeddodau a ddisgrifiodd William yn ei lythyr.   Y peth cyntaf a gofiaf oedd ein bod wedi cyrraedd tŷ Mrs. Marks. Ar ôl pryd o fwyd a chlirio ar ôl yr oedd Owen wedi cysgu a Mrs. Marks wedi ei roi yn y gwely.   Penderfynodd Betsi Jones a Mam logi cerbyd rhyngddynt, i fynd â'r plant i weld Pont-y-Borth.   Ond cefais i siom nad anghofiais mohoni am amser maith a theimlais i mi gael cam dirfawr, trwy i Mam benderfynu fod yn rhaid imi aros yn y tŷ rhag i Owen bach ddeffro.   Buasai cael tro mewn cerbyd yn drêt mawr imi, heb sôn am weld Pont-y-Borth.   A mwy na'r cwbwl, onid oedd y cerbyd yn mynd heibio i'r Coleg Normal lle 'roedd John i fynd pan fyddai'n barod.   Yr oedd hyn mor bwysig i ni fel plant a phe buasai'n mynd i fyw i blas y Brenin.   Ond, yn y tŷ y bu raid i mi fod drwy'r pnawn.   'Doedd dim diben dweud gair yn erbyn, 'roedd Mam wedi *dweud*, felly 'doedd dim i'w wneud ond ufuddhau.

Y peth nesaf a gofiaf oedd Mrs. Marks wedi rhoi gwichiaid imi a minnau yn eistedd ar garreg y drws yn eu tynnu allan o'r cregin a'u bwyta.   A dyma'r tro cyntaf a'r olaf imi fwyta gwichiaid.

Dyna fy mhrofiad i o'r sgyrsion fythgofiadwy.

GAIR newydd i blant yr oes hon yw "*austerity*". Nid mor newydd i ni oherwydd ar *austerity* y cawsom ni ein magu. Byw pur galed oedd hi, y cyflogau yn isel iawn. Ni chlywsom ni'r plant erioed sôn am dûn samon na *fish and chips*. Ar fwyd plaen iawn y cawsom ein magu ond digon ohono.

Ar ddydd Sul yn unig y caem gig ffres, ac os byddai rhywfaint dros ben, cai Nhad hwnnw yn ei bac bwyd i fynd i "Stiniog". Uwd, bara llaeth, tatws llaeth, brwas bara ceirch oedd y prif fwyd. A rhaid cofio hefyd *Turkey Pie*. Mae'n swnio yn bur grand, ond nid mor grand y defnydd! Dyma oedd. Rhoed dŵr berwedig ar fara mewn powlan, a gadael iddo fwydo tipyn. Yna gwasgu'r dŵr i gyd allan, rhoi lwmp o fenyn, pupur a halen a'i gymysgu â fforc. Powliad o hwn a chwpaned o de, a byddai'n bryd pur ddigonol. Gwnâi Mam hefyd beth alwai'n *ponco*. 'Rwyf wedi holi llawer o dro i dro ond nid wyf wedi clywed am neb sydd yn gyfarwydd a'r enw, heb sôn am gael ei flas. Dyma fel y gwnâi Mam 'ponco'. I ddechrau —ffrïo cig moch yn y badell, wedyn cymysgu *batter* tew. Tywalltai hwn i'r saim poeth yn y badell a'i droi gyda llwy nes y byddai'n gawdal tew, bron fel toes. Codai blatiad ohono hefo'r cig moch, a llwyad o siwgwr ar ei ben. Bobol annwyl, mi fyddai'n dda!

Ymhen blynyddoedd, eis ati i wneud ponco fy hun, ond rhaid cyfaddef nad oedd cystal ei flas â'r ponco a wnâi Mam inni erstalwm.

Mae'n rhaid fod fy Mam yn ddynes fforddiol iawn i allu bwydo a dilladu naw ohonom rhwng Mam a Nhad, ar gyn lleied o gyflog.

Yr oedd Nhad wedi gwneud cwt mochyn o'r pentwr cerrig ar y comins. Pesgai Mam fochyn bob blwyddyn i'w ladd. Yr oedd hyn yn help mawr at fagu tyaid o blant. Diwrnod pwysig iawn yn ein tŷ ni oedd diwrnod lladd y mochyn. Byddai Mam yn brysur ben bore yn paratoi—pob sospan a thegell ar y tân yn berwi dŵr at sgaldio'r mochyn. A Betsi Jones, hithau'n helpu gorau y gallai, a châi ddarn o'r asan fras am ei llafur.

Pitar Hughes oedd enw'r lladdwr. Cymerai'r oruchwyliaeth le ar y comins yngolwg pawb, a holl blant y lle wedi tyrru yno i weld munudau olaf yr hen fochyn. Ond rhedwn i am fy mywyd a'm bysedd yn fy nghlustiau rhag clywed gwichiadau'r mochyn. Wedi gorffen, câi ei hongian wrth ddistiau'r gegin gefn a bwced dan ei drwyn i ddal y gwaed. Byddai arnaf fwy o ofn y mochyn wedi marw nag yn fyw, ac ni awn yn agos i'r gegin gefn hyd nes y deuai Pitar Hughes yno drannoeth i'w ddynnu i lawr a'i dorri yn barod i'w halltu. Cael byw bras am yr wythnos gyntaf ar ôl lladd y mochyn, asen frâs a iau, a gwnâi Mam frôn o'r pen. Berwai'r traed—a gwnâi hefyd bwdin gwaed. Felly gwnai ddefnydd o bob rhan ohono, fel nad oedd dim yn mynd yn ofer.

Ni fyddem byth yn meddwl cael pres i brynu teganau. 'Roedd yr arian yn rhy brin i'w gwario ar deganau y pryd hynny. Un waith erioed y cofiaf imi gael prynu dol, a dyma fel y bu. Daeth chwaer i Mam o Runcorn i edrych amdanom a rhoes chwech i mi. "Hwda", meddai, "dos i brynu dol i ti dy hun". Edrychais yn amheus ar Mam, gan dybio hwyrach y buasai'n gweld gwario chwech am ddol yn wastraff o'r mwyaf. Ond ni ddywedodd hi ddim ; felly i ffwrdd â mi nerth fy nhraed i'r dref i siop Robat Jones y Cwpar i brynu'r ddol, ac yn teimlo fel milionêr. Ni chefais erioed o'r blaen gymaint o arian i'w gwario. Dyna lle bum yn pendroni am hydion, yn methu penderfynu prun ai'r ddol wacs ynteu'r ddol bren i'w phrynu. 'Roedd y ddol bren yn fwy na'r llall, ond 'doedd dim gwallt ganddi, dim ond gwallt wedi ei baentio arni. Felly y ddol wacs a aeth â'm bryd. Cefais lawer o bleser yn gwneud dillad iddi a chadwn hi'n ofalus bob dydd cyn mynd i'r ysgol. Ond, ow ! un tro fe anghofiais amdani, ac erbyn imi ddod adref o'r ysgol yr oedd y ddol druan wedi ei gadael allan yn yr haul, a'i hwyneb wacs tlws wedi toddi'n llymad. Dyna alar imi ar ei hôl. Rhowd hi mewn bocs a chafodd angladd parchus a holl blant y Terrace yn y cynhebrwng.

O hyn allan bu yn rhaid i mi fodloni ar fynd yn ôl at ddol rholbren. Byddwn yn dwyn benthyg y rholbren a gwnawn wyneb arno hefo inc, a gwisgo amdano. A chawn gymaint o wynhad â phe buasai'n ddol fwyaf drudfawr.

Teimlaf fwyfwy, wrth edrych yn ôl, fod fy Nhad a Mam wedi cyflawni gorchest fawr pan benderfynwyd anfon John i'r Coleg Normal ac yntau yr hynaf o saith o blant, a'r cyflog yn y chwarel yn isel iawn.

Pan oeddwn yn bur ifanc mi gofiaf Nhad yn dod adref o'r chwarel a chyflog mis i Mam, a hithau yn edrych yn syn ar y swm. "Hyn sydd gen ti i roi imi?" Dim ond punt am y mis. 'Roedd Nhad yn gweithio ar "fargen" ar y pryd, ac wedi digwydd taro ar fargen bur sâl y mis hwnnw. Meddylier! Punt i gadw naw ohonom am fis. Mae'n ddirgelwch i mi sut y gallodd Mam fyw a'n cadw mewn bwyd a dillad. Ni fu erioed mewn dyled a byddai gennym esgidiau a dillad trefnus i fynd i'r capel y Sul bob amser. Edrychai Nhad yn foddhaus ar y rhes esgidiau wedi eu glanhau nos Sadwrn yn barod erbyn y Sul.

Pan benderfynwyd i John gael mynd yn *Pupil Teacher* ac wedyn i'r Coleg ni allent fforddio yr un fantais i Dic a Bob, y ddau nesaf, ond gwnaethant y gorau gallent drwy roi crefft i'r ddau. Dic yn brentis o ôf a Bob yn saer. Rhaid cyfaddef mai "square pegs in round holes" oedd y ddau, cyn belled ag yr oedd ganddynt unrhyw ddiddordeb yn eu galwedigaeth. 'Roedd eu bryd ar bethau uwch. Caf ddweud rhagor am y ddau ym-hellach ymlaen.

Pa faint o dalentau disglair a gollwyd yn y cyfnod hwn, o ddiffyg modd a chyfleusterau? Nid oedd ysgolion canolraddol yn bod yn ein hamser ni, dim ond yr "ysgol Britis" ar "Ysgol

National". 'Roedd yn y dref hen Ysgol Ramadeg i'r rhai a allai fforddio talu. Nid oedd llawer o fechgyn yn meddu ar benderfyniad y bachgen o Langernyw—Henry Jones, i'w godi ei hun o fainc y crydd i safle anrhydeddus ym myd addysg ac athroniaeth heb help gan neb.

Meddylier am y manteision sydd yng nghyrraedd plant yr oes hon. Os bydd plant yn byw dair milltir o'r ysgol, bydd car neu fws i'w cyrchu a'u dwyn yn ôl. Llefrith, *orange juice*, *cod liver oil*, cinio da bob dydd yn yr ysgol ; nid fel y byddai llawer ohonom ni yn gorfod gwneud ar frechdan sych neu fara llaeth mewn piser yn bryd canol dydd yn yr ysgol. Heddiw ceir meddyg, deintydd a nyrs i wylio iechyd plant ; ceir gwersi ar y radio, addysg rydd, llyfrgelloedd, a llawer o fanteision eraill, fel nad oes esgus i blentyn fod yn brin o fanteision addysg os bydd yn dangos rhyw gymaint o allu. Ac eto, er yr holl fanteision a ydyw plant yr oes hon rywfaint gwell na phlant ein hoes ni ? Byddaf yn ofni weithiau fod gormod yn cael ei wneud dros blant yr oes hon—fod gormod o fwyd llwy fel nad oes angen iddynt wneud ymdrech drostynt eu hunain, dim ond derbyn y bwyd o'r llwy.

DYWEDAIS i'm Nain adael y Tŷ Newydd pan oeddwn tua'r deg oed. Dyma fel y bu. 'Roedd gan Nain bump o blant, pedwar o feibion ac un ferch. Nhad oedd yr hynaf o'r plant. Ymfudodd dau o'r meibion, John a Richard, i'r gwaith aur yn Colorado, ac yno y buont weddill eu hoes. Priododd y ferch—Letus—Sais ac aeth i fyw mewn pentref yn agos i Fanceinion o'r enw Winton, mewn amgylchiadau pur gysurus. Y mab ieuengaf—William—yn unig o'r meibion a gafodd grefft, a chredaf ei fod yn weithiwr cywrain, *Cabinet Maker* oedd. Mae yn fy meddiant gloc mawr o'i waith a wnaeth i Nhad a Mam pan oeddynt yn priodi.

Bu ef yn ffodus iawn. Llwyddodd i gael lle yn *foreman* mewn ffyrm bwysig ym Manceinion. Pan ddeuai ar ei wyliau i'r Tŷ Newydd byddem ni'r plant yn edrych arno fel gŵr bonheddig. Meddai ar gorff hardd, pryd tywyll a thros ddwy lath o daldra. Gwisgai ffroc côt a het silc, ac yn wir yr oedd yn ddyn golygus dros ben, a fe oedd canwyll llygaid Nain.

Llwyddodd i berswadio Nain i adael Tŷ Newydd a dod i Fanceinion i gadw tŷ iddo. Ac felly y bu. Yr oedd pob peth a ddywedai William yn ddeddf y Mediaid a'r Persiaid i Nain. Gwerthwyd y fuwch a'r celfi corddi, a phob peth arall nad oeddent o wasanaeth mewn lle fel Manceinion. Aeth â'r hen dresel fawr dderw a'r llestri oedd arni, y cloc mawr a'r bwrdd crwn, fyddai'n sgleinio fel drych bob amser, gyda hi.

Wedi iddi gyrraedd, dywedodd William wrthi, "Gwell i chi fynd at Letus am y gaeaf er mwyn imi gael cyfle i chwilio am dŷ". Ac at Letus yr aeth yr hen wraig. Yn ystod y gaeaf fe lwyddodd William i gael tŷ, ac fe briododd yr hen gnaf a gadael 'nain druan ar y clwt, wedi chwalu ei chartref bach cyfforddus er ei fwyn. Chwith iawn iddi oedd byw ynghanol

B

Saeson. Ni allai siarad gair o Saesneg, ond "yes" a "no", a neb i yngan gair Cymraeg wrthi ond Letus y ferch, a thyaid o blant o'i chwmpas yn Saeson bob un.

A dyna sut y bu i Nain adael Tŷ Newydd.

Yr oedd brawd i Nain yn cadw siop groser yn Llanrwst—(hen siop "Wellington House") yn Denbigh Street, gyferbyn â siop Allsup y Peintiwr. Adnabyddid f'ewyrth fel John Jones Garthmyn. Dyn tal golygus oedd John Jones, ac yn gymeradwy gan bawb. Annibynwr selog oedd John Jones.

Byddwn wrth fy modd yn mynd ar neges i siop f'ewyrth. Byddwn yn siŵr o gael dyrnad o fferins ganddo, ac yr oedd mor llawn o hwyl bob amser. Dyma un stori amdano. Un diwrnod daeth gwas ffarm i'r siop i 'mofyn "rhyw stwff mewn potel—'rwyf yn methu'n lân â chofio'r enw ond pe bawn yn cael ei ogleuo mi adnabyddwn y stwff yn syth". Deallai John Jones mai *ammonia* oedd yn mofyn. Estynnodd y botel ar y cownter a meddai wrth y llanc, "Pan dynnaf y corcyn allan o'r botel cymer di dy wynt atat gymaint a elli". Tynnodd y corcyn allan, a chymerodd y llanc ei wynt i mewn, a'i drwyn yn dynn ar geg y botel. Syrthiodd fel planc ar wastad ei gefn ar lawr y siop. Ymhen ennyd cododd ar ei eistedd a meddai, "Diawl—dyna fo".

'Roeddwn yn fwy cyfarwydd â thŷ Nain o ochr fy mam, Nain Tyn-y-graig, Llanrhychwyn. Âi Mam â ni yno am ddiwrnod cyfan bob haf. Byddem yn cychwyn ben bore â bwyd hefo ni. Pobai Mam dorth frith, a gwnâi bwdin berwi a chaem bicnic ar y bryniau. Byddem wrth ein bodd a theimlem yn ddewr iawn yn dringo bryniau a oedd yn ein golwg ni mor uchel. Ymhen blynyddoedd ar ôl i mi briodi a mynd yn ôl i Lanrwst 'roedd Hugh fy mrawd yn digwydd aros gyda mi dros ei wyliau. Penderfynwyd un diwrnod fynd i Arwest Geirionydd. Aethom yno drwy Lanrhychwyn er mwyn cael golwg ar yr hen Dyn-y-graig. Wedi cyrraedd lle yr arferem droi o'r ffordd drwy'r coed a thrwy y giât fach goch i'r llwybr drwy'r

cae at y tŷ, er ein mawr siomiant nid oedd hanes am y giât fach
na'r llwybr drwy'r coed, a thrist oedd gweld adfeilion yr hen
dŷ wedi mynd a'i ben iddo. Ond yr hyn a'm synnodd i fwyaf
oedd gweld y bryniau mor isel, a minnau yn eu cofio mor uchel
pan oeddwn yn blentyn.

Un lle arall yr âi Mam â ni oedd y Sarnau, ymhen uchaf
Nant Bwlch yr Heyrn. Chwaer Mam, modryb Margiad,
oedd yn byw yn y Sarnau. 'Roedd modryb mor siriol a chroes-
awus bob amser, er maint ei helbulon. Amser hel llus yr aem
i'r Sarnau. Caem fynd i'r coed hefo modryb a hel digon o lus
i ddod gyda ni adref. Gwnâi modryb deisen lus ar y rhadell
inni ac ni phrofais erioed deisen debyg.

Tŷ bychan oedd y Sarnau, a byddai bob amser fel pin mewn
papur o daclus. Câi ei wyngalchu bob blwyddyn, neu ei
"chweit-washio", chwedl modryb. Câi hyd yn oed y tô a'r
corn simdde yr un oruchwyliaeth.

'Roedd gardd fach o flaen y tŷ, rhyw lathen o led, a châi'r
wal bach o flaen y tŷ ei "chweit-washio" hefyd. Pan âi
modryb i'r dref ac i'r siop hadau a gofyn am werth chwech o
"hada sgyrsions" fe wyddai'r siopwr mai hadau *nasturtiums* oedd
modryb yn eu mofyn. 'Roedd yn meddwl y byd o'r blodau
"sgyrsions" a dyfai dros y wal bach o flaen y tŷ.

'Roedd modryb Margiad wedi priodi mab hynaf yr Hen Law
y soniodd fy mrawd John amdano yn yr ail gyfrol, pen. X o'i
Atgofion. 'Roedd llawer stori ddoniol am yr Hen Law a'i
feibion. Dyma un stori; er nad yw yn ddoniol credaf ei bod
yn werth ei hadrodd.

'Roedd mab ieuengaf yr Hen Law—Dafydd Roberts—neu
Dafydd yr Hen Law fel y'i gelwid, yn byw yn Nolwyddelan.
Rai blynyddoedd wedi i mi fynd yn ôl i Lanrwst i fyw 'roedd
Dafydd Roberts wedi dod i lawr i Drefriw i angladd perthynas
iddo a chan mai ym mynwent Seion, Llanrwst, yr oedd y
gladdedigaeth gofynnais i amryw o'r teulu ddod i'n tŷ ni i gael
te. Ac yn eu mysg 'roedd Dafydd Roberts. Amser te sylwais

fod ei law dde yn crynu yn arw wrth yfed te. Sylwais hefyd fod lwmp cymaint â phel griced ar ei arddwrn. Gofynnais iddo, "Beth ddigwyddodd i'ch llaw Dafydd Roberts"? "Wel", meddai, "mi ddweda'i wrthych", gan osod ei hun i egluro beth a ddigwyddodd iddo.

Creigiwr oedd Dafydd Roberts yn chwarel y Rhiw, Blaenau Ffestiniog. "Wyddoch chi", meddai, "fod lle mawr o dan y ddaear yn chwarel y Rhiw, digon o le y medrach chi roi St. George's Hall, Lerpwl, ynddo yn ei grynswth. Ma nhw'n deud fod y lle wedi ei oleuo hefo lectric rwan, ond pan oeddwn i yno yn gweithio, cnwylla fyddai gennym, wedi ei sticio mewn clai yn y graig". Ac aeth ymlaen i egluro i mi sut y byddent yn gweithio. 'Roedd cadwyni wedi eu bachu yn y graig ar gyfer pob gweithiwr. Dringai'r dynion i fyny'r gadwyn, fel llongwr yn dringo mast llong. Wedi cyrraedd y fan yr oeddent i weithio ynddo, rhoed tro i'r gadwen am y goes chwith, sticio'r gannwyll yn y clai, a'r bîg i weithio wyneb y graig yn y llaw dde. A dyna lle y byddent yn hongian wrth un goes ac yn ysgwyd fel hen bendil cloc.

Meddai Dafydd Roberts, "Sylwais nad oedd y gadwen oedd yn dal y dyn a weithiai yn uwch na mi ddim yn edrych yn rhyw saff iawn, ond cyn imi gael amser i'w rybuddio gollyngodd y gadwen ei gafael a phan oedd yn syrthio heibio i mi medris gael gafael yng ngodra ei drowsis hefo fy llaw dde a'i ddal nes y daeth help i'w dynnu i lawr. Bobol annwyl, wyddoch chi be, mae'n rhaid fod ganddo fo fresus cry ofnadwy".

Gofynnais i Dafydd Roberts, "Mae'n debyg fod y dyn wedi dychryn yn arw".

"Wel nag oedd, ddim felly. Yr unig beth ddwedodd pan ddaeth ato ei hun oed, ' Mi gollais fy nghannwyll, wel di '."

Meddylier am Dafydd Roberts yn dal dyn arall ag un llaw lathenni o'r llawr, ac yn hongian wrth un goes ac eto nid oedd yn meddwl ei fod wedi gwneud dim gwrhydri—y "bresus cry" a gafodd y clod !

Bu yn dioddef oherwydd ei wrhydri am y gweddill o'i oes.
Cefais sgwrs yn ddiweddar â chwarelwr wedi ymddeol—
Griffith Roberts, brodor o'r Garn, ac yn byw yn awr yn y Garn.
Digwyddais adrodd stori Dafydd Roberts "yr hen law" wrtho.
Dwedodd Griffith Roberts fod gwaith y creigwyr yn y chwareli
wedi gwella llawer er amser Dafydd Roberts.   Yn un peth nid
oes eisiau cannwyll i sticio mewn clai yn y graig ; gwnaeth
golau trydan i ffwrdd â'r gannwyll.   Hefyd, mae yn awr
lwyfanau i sefyll arnynt fel nad oes angen mwyach i'r gweithwyr
grogi wrth gadwyni, a mashins i dyllu wyneb y graig yn barod
i'r saethu ac nid tyllu ag ebill fel yn yr amser gynt.

Credai Griffith Roberts fod mwy yn dioddef gan glefyd llwch
y garreg heddiw, gan fod y creigwyr yn yr hen amser yn defnydd-
io mwy o ddŵr i ostwng llwch o'r graig nag yn awr.

PENNOD IV

Ni chafodd Mam ddiwrnod o ysgol erioed. Ni allai ddarllen na sgrifennu Saesneg, ond gallai ddarllen Cymraeg. A chymaint oedd ei hawydd am wybodaeth fel y darllenai bob llyfr mewn cyrraedd. Sut y dysgodd ddarllen Cymraeg? Sut hefyd, ond drwy gyfrwng yr Ysgol Sul? Pa sawl un fel Mam oedd yn ddyledus i'r Ysgol Sul? A ydyw'r Ysgol Sul yn cael y *credit* sy'n ddyledus iddi am y gwaith mawr a wnaeth yn yr oes honno?

Am yr Ysgol Sul, pan oeddwn yn eneth, cynhelid dosbarth yr A.B.C. yn y "festri bach" yn Seion, a'r ysgol fawr yn y capel. 'Doedd dim ystafell at gynnal yr Ysgol Sul yn yr hen gapel. Nid wyf yn cofio fy hun yn nosbarth yr A.B.C. Yn y dosbarth sillebu yn llawr y capel y cofiaf fy hun gyntaf. Ar ôl meistroli'r llyfr sillebu symudwyd ni i'r galeri i ddarllen y Testament. Cofiaf fy hun yn cael fy symud i ddosbarth yn nhop y galeri. Miss Jones "y Druggist" oedd ein hathrawes— dynes ddymunol iawn. Cofiaf y genethod oedd yn yr un dosbarth—Sarah Jones, Tyn-y-caeau, Elizabeth Roberts, Albert House, Sarah Anne Jones, Stamp Office, a Lizzie Williams, "Y Gas". A heddiw y fi yn unig o'r dosbarth sy'n fyw.

Cyn gadael Llanrwst 'roeddwn wedi cyrraedd dosbarth ymyl y galeri. Yr ochr arall y byddai dosbarthiadau'r dynion a'r bechgyn. 'Roedd gan fy nhad ddosbarth mawr o fechgyn o 14-15 oed a rheini'n rhai pur ddireidus. Gallai Nhad eu cadw mewn trefn yn lled dda ond un bachgen,—Dafydd yr Hafod. Bachgen amddifad o Drefriw oedd Dafydd, wedi ei fagu gan ei ewythr, ffarmwr wedi ymddeol ac yn ddyn cul, caled iawn, ac yn amlwg 'roedd Dafydd wedi bod dan ddisgyblaeth lem. Yn yr ysgol ddyddiol gallai pob bachgen roi cweir i Dafydd ond un— Wil bach Tŷ Capel oedd hwnnw, a phwy bynnag a dynnai'n groes i Dafydd, Wil a gai'r gweir. Un pnawn Sul 'roedd

Dafydd wedi mynd dros ben y llestri yn lân yn y dosbarth a hir amynedd fy nhad wedi pallu. Dywedodd wrtho, "Wel, Dafydd, 'toes dim imi wneud ond deud wrth dy ewythr". Sobrodd Dafydd yn syth ac edrychodd ym myw llygad Nhad a meddai, "Wel, Duw ! mi gaf gweir". Prin y rhaid dweud na ddarfu Nhad achwyn ar Ddafydd.

Dafis y Tanner fyddai'r arolygwr, ar hyd y blynyddoedd imi gofio, a T. Rogers Jones yn ysgrifennydd. Cofiaf yn dda fel y byddai'n cyhoeddi rhif yr Ysgol Sul ar y diwedd, ac ni fyddai'r cyfrif byth o dan 400, heb gyfrif rhif y plant bach yn y festri. Ys gwn i beth yw rhif yr Ysgol Sul yn Seion yn awr ?

Rhoddid mwy o bwysigrwydd ar gadwraeth y Sabath pan oeddem ni'n blant. Ni fyddem byth yn meddwl am fynd allan i chwarae ar y Sul. Gofelid am wneud pob dim oedd yn bosibl ar y Sadwrn, erbyn y Sul. Ni fuasem yn meiddio glanhau esgidiau, pilio tatws a llawer gorchwyl arall ar y Sul. Cofiaf yn dda glywed Nain Tyn-y-graig yn achwyn wrth Mam plant mor ddrwg oedd plant Pont-y-gath. 'Roedd wedi mynd i Bont-y-gath at y ferch, Modryb Ann, i aros am wythnos, a meddai wrth Mam, "Mae'n nhw yn blant drwg, wel di. Mi olchan yr aelwyd mewn munud ar y Sul os medra nhw heb neb eu gweld". Yn amlwg 'roedd golchi'r aelwyd ar y Sul yn bechod anfaddeuol yng ngolwg Nain.

Rhoddai hen bobol erstalwm bwys mawr ar orffen pob gwaith yn gynnar ddydd Sadwrn, er mwyn rhoi cyfle i fyfyrio ac ymsancteiddio, fel y dywedid, erbyn y Sul.

Temtir fi i adrodd stori a glywais am gadwraeth y Sabath flynyddoedd lawer yn ôl. Digwyddodd hyn mewn Seiat yng nghapel Tre Faenan (Llanrwst). Cwynai un o'r blaenoriaid— John Parry, Fridd Arw, ffarmwr braidd yn gul—fod yr aelodau wedi llaesu dwylo gryn dipyn, ac erfyniai am ddiwygiad. Ymysg pethau eraill dywedodd : "Tydw i ddim yn credu y dylai y gŵyr gysgu hefo'i gwragedd ar nos Sadwrn chwaith".

Ar hyn, cododd un aelod ar ei draed, " 'Rydw i yn gweithio yn

Stiniog ar hyd yr wythnos", meddai, "Ble rydach i'n disgwyl i mi gysgu" ?

Cododd brawd arall. "Mi wyddoch yn iawn, John Parry", meddai yntau, "na toes acw ddim ond llawr a siambar, felly lle yr âf fi i gysgu" ?

Cododd hen flaenor ar ei draed, Hugh Pirs y Gopi, hen ffarmwr yn llawn hiwmor. Gwelodd fod pethau'n mynd braidd yn boeth, a meddai, " 'Rydw i yn cynnig, o dan yr amgylchiadau, ein bod yn hel holl ferched priod Tre-Faenan at ei gilydd, a'u rhoi mewn un ystafell, a chlo arnynt, a rhoi'r goriad i John Parry i'w gadw tan fore Llun".

Cefais y stori gan ferch Hugh Pirs ac yr oedd hi dros y 80 oed pan adroddodd y stori. Tystiai fod y stori yn wir a'i bod yn bresennol yn y Seiat ar y pryd.

Nid wyf yn cofio inni fod erioed mewn cyfarfod plant yn Seion, Llanrwst. Yr unig gyfarfod a gofiaf i William fy mrawd a minnau fynd iddo oedd Adran y Plant o'r Mudiad "Y Temlwyr Da". 'Roedd y mudiad yn llwyddiant mawr trwy'r wlad yr adeg honno. Cedwid cyfarfod adran y plant yn yr ystafell lle byddai gwasanaeth crefyddol Heol Scotland ar y Sul. Byddai'r ystafell yn orlawn bob nos Wener. Owen Jones y Te oedd yn gyfrifol am adran y plant. 'Roedd Owen Jones yn gwybod i'r dim sut i drin plant. Rhaid cofio mai yn slym y dre y cynhelid y cyfarfodydd, a llawer o'r plant yn bur anwaraidd. Eto, nid oedd yn rhaid i Owen Jones ond adrodd stori wrthym, na chai sylw pob plentyn. 'Roedd yn un o'r rhai gorau a glywais erioed am ddweud stori. Ond yr oedd un bachgen na allai hyd yn oed Owen Jones wneud dim ohono, "Joe bach Tan-Graig". Un drwg oedd Joe ; deuai i'r cyfarfodydd i ddim ond i godi cynnwrf, ac os helid ef allan gwnâi fwy o stŵr oddi allan nag oddi mewn.

O'r diwedd penderfynodd Owen Jones ar gynllun newydd i geisio ennill Joe. Rhoddodd swydd iddo. Gwnaeth ef yn "Wyliedydd Nesaf i Mewn", i dderbyn y *password* gan bob

plentyn wrth ddod i mewn, a chadw trefn wrth y drws. Bu
hyn yn iachawdwriaeth i Joe ac i'r cyfarfodydd. Byddai Joe
yn ei le yn brydlon a'i wyneb yn sgleinio ar ôl dŵr a sebon, a
gwae neb a gadwai dwrw wrth y drws !

Amrywiaethol fyddai'r cyfarfodydd. Wedi adrodd y weddi
ceid adrodd a dadleuon a chanu gan y plant. Yr oedd llyfr o
donau dirwestol wedi ei argraffu i'r pwrpas. Cofiaf un dôn
oedd yn boblogaidd iawn gan y plant. Un pennill yn unig a gofiaf :

> Ar wely gwellt mewn bwthyn llwm
>   Gorweddai geneth fach.
> Hawdd gweld oddi wrth ei gwyneb llwyd
>   'Doedd Elen ddim yn iach.
> Yn llaw ei thad gafaelai'n dyn,
>   A'i llygad bach yn llaith.
> A chyda llais crynedig gwan
>   Dywedai lawer gwaith :
> "O peidiwch a meddwi,
>   O peidiwch byth mwy.
> Ni fyddaf yma gyda chwi
>   Ond ychydig bach yn hwy".

Ar brynhawn Sadwrn yn aml, os byddai'r tywydd yn ffafriol,
byddai gorymdaith o'r holl adrannau, pryd y deuai'r canghennau
o'r holl gylch i gymeryd rhan yn yr orymdaith—band ar y blaen
a phawb yn gwisgo eu *regalia*. Cariai pob adran ei baner.
Teimlem ni'r plant yn bwysig iawn.

Â'r orymdaith drwy bob stryd, ac yn ôl i'r sgwâr lle y cyn-
helid cyfarfod yn yr awyr agored, y siaradwyr yn sefyll ar
risiau'r hen *Town Hall*.

Nid oedd y tafarnwyr yn teimlo'n garedig iawn at y mudiad
newydd—a pha ryfedd ? Dywedid fod llawer o'r tafarndai yn
hanner gwag yn ystod y cyfnod hwnnw. Diddorol fyddai
gweld ambell dafarnwr yn sefyll yn nrws ei dafarn pan âi'r
orymdaith heibio, ac yn cau ei ddau ddwrn. Er mai tref
fechan oedd Llanrwst 'roedd cymaint a chwech-ar-hugain o
dafarnau yn y dref yr adeg honno. Gallwn eu henwi bob un.

PENNOD V

Soniodd John yn ei *Atgofion* am y miwsiwm a gadwai pan oedd yn fachgen. Cofiaf yn dda gynnwys y miwsiwm. Yn y gegin gefn, yn crogi wrth y distiau 'roedd darn go lew o goeden, ac ar bob cangen a daflai allan 'roedd nythod gwahanol adar, ac yn eistedd ar bob nyth aderyn wedi ei stwffio gan John ei hun. Hefyd cadwai chwilod dŵr mewn poteli. Cofiaf un eitem o'r miwsiwm fwy gwerthfawr na'r cwbl, bocs a chaead gwydr iddo, a hwnnw'n llawn o wyau adar, dim un yr un fath a phob un ac enw aderyn wrtho. Ni flinwn byth edrych arno. Ond os byddai Mam yn agos ni chaem drin fawr arno, gymaint oedd ei ddiddordeb yn "miwsiwm John" fel y'i galwai, ac ni chlywais Mam erioed yn grwgnach am y llanast a wnâi gyda'r pryfed a'r chwilod. Yn rhyfedd iawn ni soniodd John am y pryfed sidan a gadwai ar un adeg. Cymerai Mam ddiddordeb neilltuol ynddynt, a phan aeth John i'r Coleg gofalai Mam amdanynt hyd nes y deuai yn ôl.

Cedwid y pryfed sidan mewn bocs *cardboard*, a thyllau mân yn y caead iddynt gael awyr. 'Roedd y pryfed o fodfedd a hanner i ddwy fodfedd o hyd yn eu llawn dwf, o liw gwyn a chylchau duon ar hyd eu cefn. Dail *mulberry* oedd eu bwyd.

Cyn gynted ag y dechreuent wneud gwe yng nghornel y bocs, cymerai Mam ddudalen o bapur gwyn a'i droi yn big yn siap twmffad a phin i'w ddal wrth ei gilydd. Yna, rhoi'r pry sidan yn y bag papur, a'i binio ar y pared mewn lle cynnes, ac yn y man gwelid rhes ohonynt ar bared y gegin.

Ymhen ychydig amser, wrth edrych i'r bag papur, ni welid golwg ar y pryf sidan. Yr unig beth mewn golwg fyddai cocŵn melyn. Y peth nesaf a wnâi Mam oedd dodi'r cocŵn mewn dŵr claear, a deuai croen tenau oddi ar y belen bach. Yna gwelid y sidan melyn hardd wedi dod i'r golwg. Yr orchwyl nesaf oedd ceisio cael gafael ar ben yr edau sidan.

Cymerai hyn gryn amser ac amynedd, ond wedi llwyddo, gwaith hawdd fyddai dirwyn yr edau.

Gwnaeth John ffrâm i'r pwrpas—hen ffrâm drych, a gwifren dew o un pen i'r llall, a rîl ar y wifren. Wedi llwyddo i gael pen yr edau nid oedd ond eisiau troi'r rîl yn ysgafn â'r bys. 'Roedd yr edau mor gryf nad wyf yn cofio iddi erioed dorri wrth ei dirwyn. Wedi dirwyn yr edau i'r pen gwelid *chrysalis* brown yn y canol. Rhôi Mam hwn mewn bocs yn yr haul ac yn fuan datblygai'r *chrysalis* yn *Moths*. Wedi iddynt sychu eu haden- ydd a hofran o gwmpas byddai Mam wedi gofalu am roi papur gwyn glân, a dydwent ugeiniau o wyau bach duon, ac yn fuan byddai'r wyau bach duon wedi deor ar ugeiniau o greaduriaid bach yn ymgreinio ar hyd y papur. Dyna genhedlaeth newydd o'r pryfed sidan i gario'r gwaith ymlaen.

Wrth edrych yn ôl rhyfeddwn at y diddordeb a gymerai Mam yn y creaduriaid yma, ynghanol ei holl helbulon a'i thrafferth- ion. Yn rhyfedd iawn, wedi i John fynd i'r Coleg collodd lawer o'i diddordeb mewn adar a nythod a chwilod. Aeth ei holl fryd ar Lysieuaeth.

Pan fu Mam farw, bu'r pryfed sidan farw hefyd.

Ac yn awr dyma ni yn wynebu'r brofedigaeth gyntaf yn ein teulu—marwolaeth Mam. Profedigaeth chwerw iawn oedd, yn enwedig i Nhad. Ni ddaeth byth dros ei hiraeth amdani. Hi oedd pob peth yn ei fywyd ac ar ôl ei cholli yr oedd fel llong heb neb wrth y llyw.

Ni chlywais erioed air croes rhyngddynt, er gwaethaf prinder a phryder i gael y ddau ben llinyn ynghyd. Yr oeddem yn deulu hapus iawn.

Bu Mam farw yn gymharol ifanc—dim ond saith a deugain oed. Wedi i mi fynd dipyn yn hŷn ofnwn fod ei hymdrech i fyw ac i'n magu ni'r plant wedi bod yn ormod i'w nerth. Gresyn, gresyn na byddai wedi cael byw i weld ffrwyth ei haberth mawr, ond nis cafodd. Bu farw ar ddiwedd y flwyddyn gyntaf i John yn y Coleg. Un-ar-ddeg oed oeddwn pan gollais fy mam.   'Roedd bywyd yn wahanol iawn ar ôl ei cholli, er mor ifanc oeddwn.

Daeth Nain Ty Newydd o Fanceinion i gymryd gofal ohonom.   Yr oedd yn Rhagluniaeth i Nhad fod Nain yn gallu dod i lanw'r bwlch mawr yn ein bywyd.   Ond, er ei bod wedi gwneud ei gorau, yn ei thŷb, i ni nid *Mam* oedd hi.

Wedi mynd yn hen sylweddolais fod dod i edrych ar ôl teulu o blant bywiog yn golygu cryn aberth i Nain, erbyn hyn mewn dipyn o oed, a Nhad yn Ffestiniog ar hyd yr wythnos, a'r cyfrifoldeb ar ei hysgwyddau hi.

Am ryw reswm, dau yn unig ohonom a gâi ffafr yng ngolwg Nain—Bob, yr hynaf o'r plant adref, ac erbyn hyn yn brentis saer, ac Owen, fy mrawd bach ieuengaf.   Am William, Hugh a minnau, ni allod yr un ohonom lwyddo i fynd i'w llewys. Ni wn pam.   Ni ddarfu'r un ohonom ei hateb yn ôl, nac anufuddhau iddi.   'Roeddem wedi cael ein dysgu'n amgenach. Ni wnâi ein curo, ond byddai'n harthio arnom yn ddibaid. Os byddwn i braidd yn hwyr ar neges, yr unig gyfarchiad a gawn oedd, "Lle buost ti yn hel gwair i dy gŵn, os gwn i" ? Er na wyddwn ystyr y cyfarchiad, gwyddwn yn eithaf da nad oedd yn un caredig.

Llwyddodd i berswadio Nhad mai gwastraff amser oedd fy anfon yn ôl i'r ysgol, ac mai gwell fyddai rhoi ysgol wnïo imi. Nid oedd Nhad wedi arfer penderfynu drosto ei hun beth oedd orau er ein lles fel plant.   Mam fyddai'n penderfynu bob cwestiwn o'r fath.   Felly gadawodd i Nain gael ei ffordd, gan dybio y gwyddai hi beth oedd orau er fy lles.   Anfonwyd fi at hen ferch oedd yn wniadwraig yn *Watling Street* i ddysgu gwnïo. Gwastraff amser o'r mwyaf oedd fy anfon ati.   Gwell o lawer fuasai blwyddyn mwy o ysgol.   Ni chefais ddysgu dim mwy na hemio, tynnu tacyns, hel pinnau oddi ar y llawr, rhedeg negeseuau a chario parseli.   'Roeddwn yn rhy ifanc i wneud mwy.

Cadwai Nhad ddyletswydd deuluaidd bob nos a bore pan fyddai adref ddiwedd yr wythnos.   Pan ddaeth Nain atom cadwai hithau'r ddyletswydd ar hyd yr wythnos. Gwnâi i Bob ddarllen pennod neu Salm, âi hithau i weddi. 'Roedd wedi hen arfer cymeryd rhan gyhoeddus yng nghapel bach Rhiwdafna, pan oedd yn byw yn Nhŷ Newydd.

Wesla selog oedd Nain. Dychmygaf ei gweld yn mynd i'r capel y Sul. Meddyliwn fod golwg foneddigaidd arni, yn dal, syth, ac yn sionc ar ei throed. Gwisgai fonet a siôl—dyna'r ffasiwn i wragedd, hen ac ifanc, yr adeg honno.

'Roedd gwraig o'r enw Sara Bens yn cadw siop teganau yn *Denbigh Street*. Arferai wneud capiau hen wragedd. Yr un fonet a wisgai Nain ar hyd y blynyddoedd. Nid wyf yn cofio iddi erioed gael un newydd. Câi y fonet ei hanfon i Sara Bens bob blwyddyn i'w hailwampio. Cofiaf y fonet yn dda. Nid oedd yn annhebyg i siâp bonet y *Salvation Army*, o wellt mân du, wedi ei drimio â satin du a chyrtan o'r satin o'r tu ôl. Ar flaen y fonet yr oedd ffrynt o net gwyn a dolenni o ruban piws yn gymysg â'r net. Llawer gwaith yr anfonid fi i siop Sara Bens i gael ffrynt newydd i'r fonet.

Gwnâi Sara Bens gapiau gwragedd ifanc yn ogystal. Nid oedd, yr adeg honno, yn weddus i wragedd fod heb gap am y pen yn y tŷ. Ni welais Mam erioed heb gap. Gwelaf ei chap yn eglur heddiw. Cap o net du wedi ei weithio ar ffrâm wifr, siap math o "dutch bonnet". 'Roedd ffril ar y top a roset o ruban neu lês ar y clustiau a blodau bach piws ymysg y roset. Rhaid oedd wrth ddau gap—un at ddiwrnod gwaith ac un gwell at y Sul. Cap gwyn a wisgai Nain bob amser yn y tŷ.

Anghytunai Nain a Nhad ar un peth. Nid oedd Nain yn teimlo fod Nhad yn disgyblu digon arnom ni'r plant. 'Roedd yn haws lawer ganddo chwarae â ni na'n disgyblu. Pechod mawr y bechgyn lleiaf oedd mynd i'r afon fach a redai gyda thalcen y tai, i ddal llysywennod a gwlychu eu traed. 'Roedd Nain wedi bygwth fwy nag unwaith achwyn wrth Nhad pan ddeuai adref ddydd Sadwrn. Ond 'roedd y llysywennod yn ormod temtasiwn. Un Sadwrn pan ddaeth Nhad adref o'r chwarel, gorfododd Nain iddo roi cweir i ddau o'r bechgyn, a hynny mewn gwaed oer.   Aeth Nhad druan ati i roi curfa i'r ddau fach am y tro cyntaf erioed.

Ar ôl gorffen yr oruchwyliaeth aeth allan a bu ar grwydr am oriau. 'Roedd Nain yn bur anesmwyth erbyn hyn. Wedi hen nosi daeth yn ôl, a Nain yn bur swat. Dwedodd Nhad wrthi'n bendant ei fod wedi cosbi'r bechgyn am y tro cyntaf a'r tro diwethaf, ac nad oedd diben iddi achwyn arnynt o hyn allan.

Ymhen blynyddoedd dywedodd Nhad wrthyf ei fod wedi anafu mwy arno ei hun o lawer wrth geisio eu cosbi nag a wnaeth arnynt hwy.

RWYF wedi cyfeirio droeon at Deulu Tŷ Pen a Betsi Jones. Teimlaf y dylwn ddweud mwy am yr hen deulu yma a fu'n gymydogion i ni am flynyddoedd. 'Roedd y teulu— John a Betsi Jones a William y mab—yn byw yn Tŷ Pen cyn i ni fynd i fyw y drws nesaf, pan oeddem yn blant bach. Mynnai rhai fod Betsi Jones yn un straegar. Credaf mai cam mawr â hi oedd hyn. Ni allai ddarllen gair, Cymraeg na Saesneg, felly nid oedd ganddi ond adrodd yr hyn a glywai. Ni chlywais hi yn dweud gair maleisus am neb.

Cofiaf mor garedig y bu wrthym ni'r plant pan fu farw Mam. Bu'n dda gennyf gael cyfle ymhen blynyddoedd i dalu'n ôl ychydig am yr hyn a wnaeth yr adeg honno.

'Roedd John Jones flynyddoedd yn hŷn na Betsi Jones. Saer coed oedd, ac yr oedd wedi adeiladu gweithdy ar dalcen y tŷ. Hen frawd rhyfedd iawn oedd John Jones. Drwy'r blynyddoedd y buom yn byw y drws nesaf iddynt nid wyf yn ei gofio erioed yn mynd i unman, ond o'r tŷ i'r gweithdy ac o'r gweithdy i'r tŷ. Er mai saer oedd, ni wnâi ddim ond cribiniau a choesau pladuriau, ar hyd y blynyddoedd. Cafodd William ei fab gam dirfawr, gan i'r hen ŵr wrthod yn bendant adael iddo fynd i gael dysgu ei grefft fel y dylai. Ni chafodd William ddysgu gwneud dim ond cribiniau.

Byddai to'r gweithdy yn llawn o ddannedd cribiniau, yn sychu ar ddiwrnod heulog.

Er na allai Betsi Jones ddarllen, âi i'r capel bob Sul yn selog. 'Roedd hi a William yn aelodau ffyddlon yng nghapel Heol Scotland er i John Jones geisio ymhob dull a modd eu rhwystro. Tipyn o deyrn oedd yr hen frawd tuag at ei deulu. Rhaid oedd iddo gael y gorau o bob peth pwy bynnag arall fyddai ar ôl. Ond, ym mater y capel gwnaethant fistar corn arno, er maint yr erlid y bu'n rhaid ei ddioddef.

'Roedd John Jones wedi ffurfio rhyw grefydd ryfedd iddo ei hun. Nid oedd yn credu mewn torri ei wallt nac eillio ei wyneb. 'Roedd ei wallt wedi tyfu'n hir at ei ganol. Arferai ei droi yn rhaff a dod â'r rhaff o dan ei fraich chwith o dan ei wasgod. 'Roedd ei farf yr un mor hir ; ei aeliau wedi tyfu bron dros ei lygaid bach cochion, a'i glyw mor drwm nes yr oedd yn rhaid gweiddi yn ei glust.

Ni feiddiai plant y gymdogaeth fynd yn agos i'r gweithdy. Ond, yn rhyfedd iawn, câi ein bechgyn ni fynd yno a stwna yng nghanol y siafins. Rhoddai John Jones bren iddynt i'w naddu wrth y fainc, ac er mai bechgyn bach oeddynt sgwrsiai â nhw fel pe baent yn ddynion llawn oed, a chyfarchai hwynt yn barchus fel William Williams, Hugh Williams, Owen Williams.

Arferai wneud yr hyn a alwai'n "blocyn pader" i bob un o'r tri. Darn oedd y blocyn o bren crwn ac enw'r tri, pob un ar ei flocyn. Y gorchymyn oedd i ddweud pader, cyn mynd i'r gwely, ar eu gliniau ar y blocyn. Cadwai'r tri y blocynnau'n barchus dan y gwely.

Gweithiai William a'i dad yn ddygn drwy'r gaeaf ar y cribiniau, erbyn y cynhaeaf gwair. Âi William â beichiau ohonynt i'r farchnad a'r ffair i'w gwerthu. Bu am amser yn gwneud bywoliaeth lled dda—digon i ddal dros y gaeaf. Ond daeth dyddiau'r peiriannau. Ni allai John a William gystadlu â'r prisiau isel a gaed, a thrist fyddai gweld William yn cario beichiau yn ôl heb eu gwerthu. Buasai byw pur fain arnynt aml i dro oni bai am ddiwydrwydd Betsi Jones a'i nodwydd—yn gwnïo crysau gwlân dynion i siopau'r dre.

Ymhen blynyddoedd, pan euthum yn ôl i Lanrwst yn wraig briod i fyw, cefais fod yr hen deulu yn yr un fan ac yn dilyn yr un bywyd, John a William yn dal i wneud cribiniau a Betsi i wneud crysau dynion. 'Roeddwn yn byw y tro hwn hefyd heb fod ymhell oddi wrthynt.

Yn bur fuan wedi i mi fynd yn ôl i Lanrwst pallodd iechyd Betsi Jones, ac o'r diwedd gorfodwyd hi i roi'r gorau i'r gwnïo a mynd i'w gwely. Bu'n gorwedd am naw mis, dan gystudd blin. 'Roedd y cancr arni. 'Doedd neb i edrych ar ei hôl ond cymdoges garedig o'r enw Mrs. Kennedy. Awn ninnau yno mor aml ag y gallwn. Trwy fisoedd ei gwaeledd arferwn fynd â chinio dydd Sul iddi. Pan awn at y drws deuai William i agor : "Ewch i fyny, Mrs. Williams ; mae'n disgwyl amdanoch".

Un prynhawn Sul pan oeddwn yn eistedd wrth y gwely, gofynnodd yn sydyn i mi, "Beth ydach chi'n feddwl o'r adnod honno, ' Canys yn nhŷ fy Nhad y mae llawer o drigfannau ' ? 'Toes dim rheswm y caiff hen garpen dlawd, anwybodus fel fi le yn y nefoedd fel Mr. Roberts y Gweinidog, a oes ?"

Ni wyddwn am foment sut i ateb. Nid wyf yn un i roi cyngor ar unrhyw adeg, yn enwedig ar gwestiwn o'r fath. Ond 'roedd yn edrych mor bryderus wrth ofyn y cwestiwn fel y teimlwn y dylwn geisio rhoi rhyw gymaint o gysur iddi. Felly, yn bur garbwl mentrais ddweud rhywbeth fel hyn : "Pan ddywedodd Crist y geiriau yna y peth yr oedd arno eisiau i'w ddisgyblion ei ddeall oedd fod digon o le yn Nhŷ ei Dad i bawb oedd yn credu ynddo. Peidiwch â meddwl am foment fod lle gwell i rai yn y nefoedd. Gŵyr eich Tad Nefol am eich holl broblemau, fel y buoch yn ffyddlon er pob rhwystr. 'Rydych wedi byw yn onest a diwyd, a chofiwch hefyd nad ydyw eich Tad Nefol yn disgwyl cymaint oddi wrthych ag oddi wrth y gweinidog sydd wedi cael mwy o fanteision a gwybodaeth na chwi. Peidiwch a phetruso, cewch gystal lle yn y nefoedd â neb, os ydych yn credu yn Iesu Grist".

Torrodd gwên dros ei hwyneb, a meddai, "Wyddoch chi beth, Mrs. Williams, ddarfu i mi erioed feddwl am hynna o'r blaen. Diolch yn fawr i chi am ddweud wrthyf".

Gwyddai nad oedd gobaith iddi am adferiad, ac yr oedd yn berffaith barod i fynd, ond am un peth oedd yn ei phoeni— beth a ddeuai o William, druan, wedi ei adael gyda'r hen ddyn

c

ar ôl iddi fynd. Ac yn wir, problem fawr oedd, gan ei fod yn mynd yn fwy anodd ei drin fel yr oedd yn mynd yn hŷn. Daliodd i gredu hyd y diwedd mai diogi a dim arall oedd yn cadw Betsi yn ei gwely, ac y dylai godi i edrych ar ei ôl. Beiai Mrs. Kennedy a minnau am ei swcro i aros yn ei gwely. 'Roedd yn flin fel caclwm, ac edrychai'n fileinig arnom, pan fyddem yn mynd trwy'r gegin i'r llofft at Betsi.

Arferai hen bobl ers talwm wneud eu "pac", fel y'i gelwid. Dyma oedd y pac—rhoi o'r neilltu ddillad pwrpasol i roi am y corff yn yr arch. Cynnwys y pac, fel rheol fyddai, i wragedd, cap nos, crys calico, pais wlanen wen, pâr o sanau gwlân a betgwn—dilledyn rhywbeth yn debyg i gôt pijamas, o galico gwyn. Betgwn a wisgai hen wragedd yn lle coban. 'Roedd Betsi Jones wedi dangos imi lle 'roedd y pac ynghadw yng nghornel drôr isa'r "chestadrôr".

Un noswaith wrth geisio mynd i'w wely syrthiodd yr hen ŵr rhwng y gwely a'r pared, a bu raid 'mofyn dau o'r cymdogion i'w godi i'w wely. 'Roedd wedi cael strôc, a bu farw yn oriau mân y bore. Cymerodd Betsi Jones y newydd yn hollol dawel, fel pe bai wedi cael rhyw ollyngdod ac ar ôl dweud beth oedd eisiau ei wneud ynglŷn â'r angladd, aeth hithau i huno'n dawel. Claddwyd y ddau yr un diwrnod. Gyda llaw, pan ddaeth y saer i roi'r hen ŵr yn yr arch, cafodd fraw wrth weld y fath wallt a barf.

PAN oeddem yn blant, merch o'r enw Betsi Morus a arferai
gario'r post o Lanrwst i Drefaenan. Cofiaf hi'n dda.
Hen wraig dal oedd Betsi Morus. Gwisgai fonet cotwm a siôl
fach wedi ei phlygu'n bîg dros ei hysgwyddau. Ni allai ddarllen
ysgrifen. Cofiai i ble yr oedd i ddanfon y llythyrau, ac arferai
eu rhoi rhwng bysedd ei llaw chwith. Ar ôl dosbarthu'r rhain,
gofynnai yn y tŷ neu'r fferm nesaf lle y galwai heibio, i ba le yr
oedd y gweddill i fynd. Gosodai hwy rhwng ei bysedd fel o'r
blaen, ac felly o fferm i fferm hyd nes y câi pawb ei lythyrau.
Golygai hyn gerdded milltiroedd bob dydd, ar bob tywydd.
Cariodd ymlaen felly am flynyddoedd.

Gan fod ein tŷ ni bron ar fin y ffordd i Drefaenan, Betsi
Morus fyddai ein llythyr-gludydd. Pan ddaeth Nain atom i
fyw, câi lythyr o dro i dro oddi wrth un o'i meibion yn Colorado.
Yn aml cynhwysai'r llythyr swm o arian i Nain. Deuai Betsi
Morus, nid i'r drws, ond i'r gegin ac eisteddai i lawr nes yr
agorai Nain y llythyr a'i ddarllen. Gwyddai Betsi y câi *tip* go
dda os oedd arian i Nain yn y llythyr.

Cofiaf fel y crwydrai hen gymeriadau hyd y wlad. Cofiaf
"Twm Tan y Celyn". Byddai arnom ei ofn am ein bywyd,
er, am ddim a glywais, un digon diniwed oedd Twm. Ond
yr oedd yr olwg arno yn ddigon i godi ofn ar unrhyw blentyn.
Dyn lled fyr oedd Twm, llydan o gorff â breichiau hir ; o bryd
tywyll fel sipsi, gwallt a barf ddu fel y frân, talcen bychan slip a
dau lygad mawr yn rhythu ar wyneb y croen, trwyn fflat
negroaidd, a "mentality" isel iawn. Dywedai Nain ei fod yn
fab i ffarmwr taclus. Ni wnaeth ddiwrnod o waith erioed.
Crwydryn oedd Twm. Câi ddigon o fwyd yn y ffermydd o
gwmpas, a chysgai yn y sguboriau. Gwisgai siwt melfared a
byddai golwg daclus arno bob amser. Cariai ffon neu bastwn
yn ei law a chetyn du yn ei geg.

Pan 'roedd Nain yn byw yn y Tŷ Newydd âi Twm yno ar ei
dro. Cerddai i mewn heb guro ac eisteddai wrth y bwrdd
mawr. Câi bowliad o fara llaeth neu frwas gan Nain. Wedi
bwyta gofynnai iddi, "Wnei di ddarllen salm imi". Yr un
salm a fynnai bob amser, "Yr Arglwydd yw fy mugail, ni bydd
eisiau arnaf". Ac er y gallai Nain ei hadrodd ar dafod-leferydd
gwyddai na wnâi hyn mo'r tro i Twm. Estynnai Nain y
Beibl mawr ar y bwrdd, a'r foment y gwelai Twm y Beibl fe
dynnai ei het yn barchus tra darllenai Nain y Salm. 'Roedd yn
amlwg felly fod yn rhywle yn meddwl tywyll Twm ryw barch
rhyfedd i'r Ysgrythur.

Soniai Nain am hen gymeriad arall a grwydrai'r wlad—
"Twm bach Cefn Scuball". Ni welais i erioed mo'r Twm
yma, felly mae'n rhaid ei fod cyn fy amser i. Honnai Nain ei
fod yn fab i ffarm fawr yn Llŷn. Corach bychan oedd, meddai,
ac er bod ganddo gartref da, crwydro'r wlad a fynnai. Yn ôl
a ddwedai Nain dyma'r eglurhâd.

Un diwrnod, pan oedd Twm yn fabi aeth ei fam ag ef hefo hi
i'r cae gwair. Rhoes y plentyn i gysgu yng nghanol mwdwl
gwair, ac aeth ati i gribinio. Yn y cyfamser, daeth y Tylwyth
Teg heibio a ffeiriodd un o'r Tylwyth y plentyn gan adael ei
phlentyn ei hun yn ei le. A dyna, yn ôl Nain, y rheswm fod
Twm mor fychan a chrwydro yn ei waed. Credai Nain yn
gadarn yn y Tylwyth Teg. Dyma stori a glywais ganddi
lawer gwaith.

Yn y Sgwâr, yn Llanrwst, mae "cul-de-sac" cul rhwng
London House a siop arall. Yn ein hamser ni "Stem Pacet
Entry" (Steam Packet Entry) y gelwid ef. Erbyn heddiw,
London Terrace yw'r enw. Ymhen draw'r "entry" 'roedd
nifer o dai bychain, ac yn un ohonynt bywiai hen wraig. Yn
ôl Nain, arferai'r Tylwyth Teg fynd i dŷ'r hen wraig yn y nos i
olchi'r plant. Gofalai'r hen wraig adael tân gwresog a gloyw
iddynt, ac aelwyd lân a llestr o ddŵr at olchi'r plant. Yna
âi i'w gwely. Dywedai Nain y byddai'r hen wraig yn eu

clywed yn mwmian canu i roi'r plant i gysgu. Gadawent "arian gleision" ar eu hôl yn dâl am y llety, ond ar yr amod nad oedd i ddweud wrth yr un wyneb byw o ble yr oedd yn cael yr arian. Sylwodd y cymdogion fod yr hen wraig wedi tacluso'n rhyfeddol a dechreuwyd ei holi. O'r diwedd ffaelodd â dal a dywedodd mai arian y Tylwyth Teg oedd yn gyfrifol. A diwedd stori Nain bob amser oedd, "Ni ddaeth y Tylwyth Teg byth yno wedyn, wel' di".

Ac yn awr dyma fi wedi cyrraedd y garreg filltir gyntaf yn fy hanes, a bellach aeth fy mywyd plentynnaidd heibio.

Y newydd pwysig a ddaeth i ni fel teulu oedd fod John fy mrawd wedi llwyddo i gael ysgol cyn gorffen ei yrfa yn y Coleg. Daeth yr holl ffordd o'r Garn, lle yr oedd yr ysgol newydd, i adrodd y newydd. Ni raid sôn am y llawenydd a barodd y newydd, yn enwedig i Nhad.

Cafodd John ac yntau sgwrs yn fy nghylch. 'Roedd Nhad wedi gweld ers tro nad oedd bywyd ddim yn rhyw hapus iawn i mi gartref. Ac er na chwynais erioed wrtho, 'doedd Nain ddim ar ôl o achwyn ar bob esgus. 'Roedd John hefyd wedi gorfod cyfaddef, er cymaint ei feddwl o Nain, nad oedd y cartref ddim yn hapus iawn i mi.

Cyn i John ddychwelyd i'r Coleg i orffen y tymor, penderfynwyd gan y ddau fy mod i fynd gyda John i'r Garn pan ddeuai'r amser. Pan glywais y newydd prin y gallwn gredu fod y fath beth i ddigwydd yn fy hanes.

Y gorchwyl nesaf oedd fy hwylio'n barod i gychwyn. Wrth edrych yn ôl, mae'n amlwg na fu llawer o hwylio. Credai Nain mai gwastraff ar arian fyddai prynu dillad newydd i mi, felly torri rhai o ddillad Mam a fu i mi. 'Roedd gan Mam un *gown* o ddefnydd a elwid yn *Orleans*—brown tywyll a smotiau bach satin drwyddo. Ac un arall o ddefnydd rhesog piws. Torrwyd y ddau i wneud dau i mi, heb ddim pwt o flowns na thrimins arnynt. 'Doedd Nain ddim yn credu mewn "ffigiaris". Yr unig beth newydd a gefais oedd het, a synnais fod

Nain wedi credu i brynu het a phluen arni i mi. Er nad oeddwn ond tair-ar-ddeg oed, eto yr oeddwn mewn oed i gymryd diddordeb mewn gwisgo, ac ni allwn lai na chofio a meddwl y buasai'r hwylio yn bur wahanol pe buasai Mam yn fyw.

Gan fy mod eisoes wedi rhoddi disgrifiad o'm brawd a minnau yn cychwyn o Lanrwst i wynebu ein gyrfa newydd, a'm brawd wedi ei gofnodi yn ei *Atgofion*, ofer ailadrodd.

Gan nad oedd Tŷ'r Ysgol wedi ei orffen o gryn dipyn pan aethom i'r Garn, cawsom letya ym Mhen-y-bont, cartref Owen a Margiad Williams. 'Does dim cwestiwn na fûm yn ffodus iawn i gael mynd at deulu mor garedig. Bu Margiad Williams fel mam i mi. Bu'r teulu oll i lawr at Phena y forwyn yn hynod o garedig wrthyf, ('roedd Phena yn rhan pur bwysig o'r teulu), a bu Pen-y-bont fel cartref i mi drwy'r blynyddoedd a dreuliais yn y Garn.

Trefnodd y Bwrdd Ysgol gyngerdd i agor yr ysgol yn ffurfiol. Eitem fwyaf poblogaidd y cyngerdd oedd eitem gan Owen Jones, Plas Gwyn. 'Roedd Owen Jones yn boblogaidd iawn drwy'r wlad, fel dyn yn gallu "taflu ei lais". Yr un program fyddai gan Owen Jones ym mhob cyngerdd. Ni chlywais erioed ddim amrywiaeth ganddo. Dyma'r program : Elis Robaits, y tad ; Lowri Robaits y fam ; Meri y ferch a Robin Robaits. Caed sgwrs i ddechrau gyda'r hen ŵr a'r hen wraig. Wedyn Meri yn bwydo'r ieir a'r cywion.

Ond y rhan bwysig oedd gyda Robin. Gwaeddai Owen Jones "Robin Robaits lle'r wyt ti" ?

Clywid llais gwichlyd yn gweiddi, "Yn y simdde, Owen Jones".

"Beth wyt ti'n wneud yn y simdde, Robin" ?

"Newid fy nghrys, Owen Jones".

Yna âi Owen Jones at y pared a chymeryd arno bwnio Robin â ffon yn y simdde, a Robin yn gweiddi a gwichian, "Peidiwch â fy mriwio, Owen Jones".

Heblaw gallu taflu ei lais 'roedd Owen Jones yn ddynwaredwr

di-ail. Gallai ddynwared unrhyw un, ond ei glywed unwaith.
Arferai ddynwared Mynyddog yn canu. Byddai Mynyddog
yn cario harmoniwm fechan pan oedd yn canu mewn cyng-
herddau. Canai ganeuon bach syml o'i waith ei hun, megis :

> O Mari rho'r morgan ar tân
> A'r llestri a'r llwyau'n ei lle,
> A gwna i'r tecell roi cân,
> Er mwyn cael cwpanaid o de.

Pan fyddai Owen Jones yn dynwared Mynyddog yn canu,
rhaid fyddai cael bocs o'i flaen, a dynwared ganu'r harmoniwm
arno. A chanai drwy ei drwyn, yn hollol fel Mynyddog.
Ymhen blynyddoedd ar ôl i mi glywed Owen Jones am y tro
cyntaf yn y Garn, 'roeddwn wedi priodi ac yn byw yn y Gaer-
wen, Sir Fôn.

'Roedd cyngerdd i fod yn ysgoldy'r pentref a "turn" Owen
Jones yn un o'r eitemau ar y program. William, fy ngŵr,
oedd ysgrifennydd y cyngerdd. Ar nos Sadwrn y cynhelid pob
cyfarfod cyhoeddus yn y Gaerwen, er mwyn i'r chwarelwyr a
weithiai yn Llanberis gael bod yn bresennol.

Yr oedd y cyngerdd i ddechrau am saith o'r gloch. Pan
ddaeth amser dechrau nid oedd hanes am Owen Jones, ac aeth y
cyngerdd heibio hebddo.

'Roedd y gŵr a minnau wedi cyrraedd adref ac wedi gorffen
swper. Dyma gnoc ar y drws. Er ein syndod pwy safai yno
ond Owen Jones. 'Roedd wedi colli trên yn rhywle ar y
ffordd, ac yn lle troi yn ôl pan ddeallodd na allai gyrraedd y
Gaerwen mewn pryd, daeth gyda'r trên olaf i gyrraedd ar nos
Sadwrn. Bu yn rhaid i ni ei letya dros y Sul. Ychydig o
ddawn siarad oedd ganddo, ond pan fyddai yn dynwared rhywun,
hen bregethwyr yn enwedig, gallai adrodd pregeth ar ei hyd.
Yr oedd fy ngŵr yn Arolygwr yr Ysgol Sul, ac aeth ag Owen
Jones gydag ef i'r Ysgol y prynhawn Sul. Tybiwyd mai
diddorol fyddai cael gair o anerchiad gan y gŵr mawr, ac er

mwyn rhoi digon o amser iddo torrwyd yr ysgol yn fyrach nag
arfer. Ond ow ! fe edifarhaodd William fy ngŵr am bob
blewyn ar ei ben ei fod wedi gofyn i Owen Jones ddweud gair.
'Roedd yn wir druenus. Pe byddid wedi gofyn iddo ddyn-
wared yr hen weinidog, Robert Hughes, buasai'n siŵr o fod yn
ardderchog. Unig ddawn Owen Jones oedd dawn dynwared.

'Roedd fy nheulu-yng-nghyfraith yn byw gyferbyn â ni, yn
ymyl yr orsaf. Nid oeddynt erioed wedi clywed "taflu llais".
Felly ar ôl swper nos Sul aethom ag Owen Jones drosodd atynt.
Yn ôl ei arfer pwniai Robin Robaits gyda'i ffon yn y simdde, a
mwyaf yn y byd y gwaeddai Robin, mwyaf yn y byd y pwniai
Owen Jones. O'r diwedd syrthiodd carreg fawr o'r simdde ar
droed Owen Jones, ac yntau mewn slipars.

Ffarmwr oedd Owen Jones, ond ystyrid ef yn ffarmwr sâl a
di-lun. A pha ryfedd ? Byddai oddi cartref y rhan fwyaf o'i
amser.

Wythnos brysur iawn oedd yr wythnos gyntaf yn yr
ysgol newydd, y plant yn dylifo i mewn bob dydd, a
llawer o'r rhieni yn dod i'w canlyn. Mae'n fwy na thebyg mai
esgus oedd dod â'r plant ; cael golwg ar y "scŵl" oedd y
rheswm gan mwyaf. Synnent weld golwg mor fachgennaidd
arno, a chredaf fod llawer ohonynt yn mynd adref gan ysgwyd
pen a dyfalu sut byth y gallai bachgen mor ifanc feistroli dau
gant o blant, a'r rheini, yn ôl a glywsom, yn ddiarhebol o ann-
osbarthus. 'Roedd yn amlwg mai syniad llawer o'r rhieni
oedd nad oedd yn bosibl disgyblu plant heb guro. Ceid clywed
ambell fam yn gofyn yn wylaidd, "Wnewch chi ddim curo
Griffiith, syr, tydi o ddim yn fachgen cryf iawn". Un diwrnod,
daeth hen wraig â'i dau ŵyr bach i'r ysgol—un yn bedair oed a'r
llall tua chwech oed. 'Roedd yn amlwg i bawb nad oedd yr
hynaf o'r ddau yn rhyw iach iawn. A meddai'r hen wraig
wrth fy mrawd : "Wnewch chi ddim curo Dafydd, syr. Fel
y gwelwch, mae'n bur wantan, ond am yr hogyn pedair oed
yma, ciciwch a phwmpiwch faint a fynnoch arno, fydd o damaid

gwaeth". Ac am ddyddiau ar ôl hyn clywid y plant yn gweiddi
ar ôl Twm druan, "Cic a phwmp i'r hogyn pedair oed". Ond,
fel y dywedodd ei Nain, trwy drugaredd 'doedd hynny'n amharu
dim ar Twm.

Am o leiaf dair wythnos ar ôl agor yr ysgol nid oedd gennym
na llyfrau na llechi, na *Black boards*, na dim arall at ddysgu plant.
Mae'n amlwg fod fy mrawd wedi anghofio'r amgylchiad gan
nad ydyw yn sôn gair amdano yn ei *Atgofion*.

Y rheswm am y prinder adnoddau oedd esgeulustra Clerc y
Bwrdd Ysgol yn ffaelu anfon amdanynt mewn pryd. William
Roberts, Y Gyfyng, oedd enw'r Clerc. Nid oedd hyn ond un
enghraifft o'r esgeulustra. Bu fy mrawd mewn helynt blin
lawer tro o'i herwydd. Gwelais William Roberts fwy nag
unwaith ar y carbed o flaen yr *Inspector*, oherwydd ei ddiofalwch,
ond byddai ganddo esgus trosto ei hun bob amser a bai ar bawb
ond William Roberts.

Cymerodd John fantais ar y tair wythnos heb adnoddau i
ddysgu dril i'r plant. Synnai'r rhieni at hyn. 'Roeddynt yn
ffaelu deall pam 'roedd y "scŵl" yn dysgu'r plant "fel soldiars".
Dysgodd ganeuon iddynt. Pechodd yn anfaddeuol am un
peth, meiddiodd ddysgu cân Gymraeg iddynt, a bu ar y carbed
gan Watts, yr Inspector. Bu yn rhaid iddo addaw na wnâi
gyflawni'r fath drosedd o hyn allan. Dysgodd iddynt eiriau
Saesneg ac egluro'r ystyr yn Gymraeg. Er enghraifft :
rhoddodd ei law ar y bwrdd mawr ar ganol y llawr a gofyn i'r
plant beth oedd ei enw yn Saesneg. Cododd yr eneth fwyaf dwl
yn yr ysgol ei llaw. "Well Sarah, what is it" ? gofynnodd John.
A meddai Sarah yn dalog, "Scŵl Bord, syr". 'Roedd cymaint
sôn am y *School Board* fel nad oedd dyn yn synnu llawer at yr
atebiad.

Fel y dywedodd fy mrawd yn ei Gyfrol IV, o'r plant yn yr
ysgol (dros 200) nid oedd ond rhyw ddwsin wedi bod mewn
ysgol o'r blaen.

Yn ddiweddar dywedodd Mr. Robert Jones, y Gwyndy,

Llanystumdwy, wrthyf, fod Dora ei chwaer ac yntau yn yr ysgol y diwrnod cyntaf, a bod "Mistar" wedi gofyn i'r plant a oedd wedi bod mewn ysgol o'r blaen godi eu dwylo. 'Roedd ef a'i chwaer yn teimlo'n bwysig iawn, yn codi llaw, wedi bod am dymor byr yn ysgol Llanystumdwy.

Credaf fod bron yn amhosibl i athrawon yr oes hon sylweddoli y broblem a wynebai fy mrawd ar gychwyn ei yrfa yn ugain oed, a dim ond dyrnaid o'r plant wedi cael ysgol o'r blaen. Tri athro oedd ganddo (*Pupil Teachers*)—Owen Williams, Y Corsor, David Williams, Cerrig y Pryfaid, ac Ifan Jones, Drws Dugoed. Yr oeddwn i yn rhy ifanc ar y pryd i fod yn *Pupil Teacher*, monitres oeddwn ar y cychwyn. Ac nid oedd yr un ohonom wedi cael diwrnod o brofiad mewn addysgu plant.

Y broblem fawr oedd dosbarthu'r plant. Cymerodd hyn gryn amser ac amynedd. Y peth cyntaf a wnaed oedd didoli'r babanod a'u hanfon i'r "classroom". Un *Classroom* oedd yn yr ysgol, wedi ei gyfaddasu i'r babanod yn unig. Ar ôl didoli'r babanod yr oedd eu nifer yn 87, nifer go fawr mewn ysgol o'r faint. Y rheswm fod y nifer mor fawr oedd fod bron eu hanner, a ddylai fod yn Standard I o ran oed, yno am nad oeddynt yn gallu darllen hyd yn oed yr wyddor, ac oherwydd y prinder athrawon.

Cefais fraw pan ddeallais gan John mai *fi* oedd i gymryd gofal y babanod. Fi, geneth dair-ar-ddeg oed, heb neb i roi help llaw i mi. Ond ni ddaeth i'm meddwl brotestio rhag cymryd y cyfrifoldeb er cymaint fy ofn a'm pryder. 'Roeddwn wedi dod i'r Garn gyda'r bwriad o helpu John yn y gwaith orau y medrwn. Gwyddwn fod ganddo lond ei freichiau o waith yn yr ysgol fawr, fel nad oedd gobaith help ganddo ef, am beth amser beth bynnag.

'Roeddem ni'n dau wedi clywed cymaint sôn am ddrygioni plant y Garn, cyn i ni eu gweld, fel 'roedd meddwl am geisio disgyblu 87 ohonynt yn creu gryn boen meddwl i mi. Ond, trwy drugaredd, ni chefais drafferth o gwbwl. 'Roedd y plant bach yn annwyl ac yn ufudd iawn, a'r ysgol yn beth mor newydd iddynt fel nad oedd dim anhawster dal eu sylw.

Mae gan athrawesau babanod heddiw bob math o gelfi a theganau at ddiddori ac addysgu plant. Pan ddechreuais i ar y gorchwyl 'doedd gen i ond un "ball frame", *black board*, ac ychydig o daflenni yn cynnwys yr wyddor a geiriau unsill. Dyna'r cyfan. Am beth amser, yn y dechrau, yr unig beth a allwn ei wneud oedd cymeryd y plant i gyd yn y galeri, a dysgu caneuon bach syml iddynt, fel "Twinkle, twinkle little star", dysgu'r wyddor, rhifyddiaeth ac ychydig o ddril. Ymhen amser llwyddais i ddidoli'r rhai mwyaf blaenllaw a'u rhoi yn y desgiau, a llechi a cherrig-nadd iddynt ddysgu gwneud llythrennau syml yn barod at eu symud i'r ysgol fawr. Ychydig iawn o sylw a allwn ei roi iddynt, gan fod gen i giwaid aflonydd ar y galeri eisiau sylw. Ambell dro deuai John i mewn i weld sut 'roeddwn yn dod ymlaen. Mae'n rhaid fy mod yn gwneud yn o lew, gan na chofiaf iddo fod yn feirniadol o'm gwaith. Pe buasai'n gweld lle i'm beio ni fuasai ar ôl o ddweud wrthyf !

Fel y dywedais, pur ychydig o baratoi fu i'm hwylio i adael cartref. Mae'n debyg fod Margiad Williams, y Siop (Pen-y-bont), wedi sylweddoli nad oedd fy ngwisg yn deilwng o chwaer yr ysgolfeistr newydd. Gyda chaniatâd John, aeth â mi i Gaernarfon i brynu siwt newydd. Mi gofiaf y siwt hyd heddiw. Credaf mai i'r siop a elwir yn awr siop "Nelson" yr aethom. 'Roedd yn amlwg fod Margiad Williams yn gwsmar da i'r siop, gan ei bod yn gallu gofyn am y defnydd gorau yn y siop "i wneud siwt i'r eneth fach yma". A dyma'r siwt. Ffrog o *serge* brown golau, wedi ei thrimio â "military braid" du. Ar y pryd 'roedd tiwnics yn y ffasiwn. Ac, ow ! bobol bach ! 'roedd tiwnic ar y ffrog. Nid oeddwn wedi cael y fath beth o'r blaen. Ni allwn lai na meddwl beth fuasai Nain yn ei ddweud am y fath "wastraff". Lwc oedd i mi mai Margiad Williams oedd yn prynu. Ar y ffrog frown cefais gôt ddu gwta, yn ffitio'n dynn. Cefais hefyd het o wellt mân brown, wedi ei thrimio â melfed brown a leinin o sidan lliw hufen. Wedi cael y siwt newydd, collais i raddau yr hyn a elwir gan y Sais yn "inferiority complex", gan i mi deimlo fod fy ngwisg cystal â gwisg neb o'r un sefyllfa â mi. Yn fuan ar ôl cael y siwt newydd, cefais fynd gyda Phena i fwrw Sul i Glynnog, lle 'roedd chwaer Margiad Williams yn byw mewn ffarm o'r enw Cwm Gwara. Nid oes trên i Glynnog hyd y dydd heddiw, ond y mae digon o fuses i gludo pobl yno yn awr. Pan aeth Phena a minnau yno, yr unig ffordd i ni oedd ar ddau droed ac yr oedd naw milltir o ffordd o'r Garn i Glynnog. Cychwynnwyd ar brynhawn Sadwrn, a Phena yn cario ei siwt orau mewn parsel. Arferai Phena wisgo'n dda iawn ar y Sul. Uchelgais merched ifanc yr oes honno oedd meddu ar un gown sidan, beth bynnag. 'Roedd Phena'n meddu ar ddau, un o sidan glas a rhesi du arno a'r llall o *rep* gwyrdd golau, ac fel y dwedai pobl ers talwm, gown a allai sefyll ei hun. Dyna'r gown oedd yn y parsel, a chôt felfed du, heb sôn am fonet o sidan glas gwan a rhes o adar bach gwyrdd ar hyd y ffrynt. Byddwn yn gweld Phena'n edrych yn grand iawn yn y wisg yma.

Ychydig a gofiaf am Gwm Gwara. Ond cofiaf yn dda fynd ar hyd llwybr drwy'r caeau i ryw gapel bach ar ochr y ffordd fore Sul. 'Roeddem ein dwy yn gorfod cychwyn yn ôl ben bore Llun, gan fod yn rhaid i Phena bobi pobiad mawr at y siop wedi cyrraedd Penybont, a minnau'n gorfod bod yn yr ysgol am naw.

Pan orffennwyd tŷ'r ysgol aeth Margiad Williams gyda John i Gaernarfon i brynu dodrefn i'r tŷ. Daeth Owen Roberts, Caeramos, a'i wraig yno i gadw tŷ i ni. Pâr dymunol dros ben oeddynt. Buont yn garedig iawn wrthyf a gwnaethant eu gorau i'n gwneud yn gysurus. 'Roedd ganddynt ddau fachgen bach pan ddaethant i dŷ'r ysgol, Griffith yn ddwy flwydd oed, a gwallt melyn cyrliog ganddo, a John yn flwydd oed. Nyrsiais lawer ar y ddau. Byr fu eu harhosiad yn nhŷ'r ysgol. Oherwydd amgylchiadau teuluol aethant yn ôl i Gaeramos, ac ar brynhawn

Sadwrn braf yn yr haf awn yn aml dros Fwlch y Bedol i Gaer-
amos i edrych amdanynt, gan fod yn sicr o groeso cynnes bob
amser. Mae Griffith a John Roberts a'u teulu yn byw yn y
Garn yn awr mewn amgylchiadau cysurus iawn.

Ymhen y flwyddyn ar ôl i John a minnau ddod i'r Garn daeth
William fy mrawd atom o Lanrwst. Deuddeg oed oedd
William pan ddaeth i'r Garn, a minnau erbyn hyn yn bedair-ar-
ddeg. 'Roeddwn yn falch iawn o gwmni William. Erbyn
hyn 'roedd John wedi gwneud llawer o gyfeillion yn y gym-
dogaeth, ac yn naturiol iawn âi i weld ei gyfeillion ar ôl yr ysgol.

Wedi i Mr. a Mrs. Owen Roberts adael tŷ'r ysgol penderfyn-
wyd i mi ymgymeryd â'r cyfrifoldeb o redeg y tŷ a dilyn fy
ngwaith yn yr ysgol. Tipyn o gyfrifoldeb i eneth 14 oed oedd
hynny, a buaswn yn bur unig lawer tro ond am gwmni William.
Aeth William yn *monitor* i'r ysgol drannoeth ar ôl cyrraedd y
Garn.

Yn fuan ar ôl setlo i lawr yn nhŷ'r ysgol aethom ein dau yn
ôl i'n hen arferiad, pan oeddem yn blant yn Llanrwst, o gymryd
llyfr mewn llaw a'i ddarllen yn uchel bob yn ail baragraff.
Teimlem fod darllen yn uchel yn fwy cyfeillgar, ac yn gwneud i
ffwrdd â'r distawrwydd llethol, ac hefyd, yn rhoi cyfleustra inni
drafod yr hyn a fyddai dan sylw. 'Roedd John wedi rhoi llyfr
inni, yn cynnwys storïau o'r Mabinogion, storïau am y Tylwyth
Teg, ac am ysbrydion. Yn y gegin 'roedd ffenestr fawr yn
wynebu'r ardd. Gan nad oedd siawns i neb weld i mewn, heb
fod yn yr ardd, ni byddem yn trafferthu i dynnu'r llen i lawr.

Un noson, ar ôl swper, wedi gorffen ein gwersi erbyn
trannoeth, aethom ati i ddarllen yn uchel fel arfer. Stori pur
gynhyrfus oedd gennym y noson honno. Cofiaf y stori yn dda.
Stori oedd am hen blas, yn wag ers blynyddoedd. Dywedwyd
fod dynes wedi ei lladd yno a'i hysbryd yn ymddangos yn yr
ystafell lle y bu'r trychineb. Gwnaeth gŵr ifanc o'r ardal fet â
chyfaill, y buasai'n treulio noson yn y plas ar ei ben ei hun.
Felly y bu. Aeth i'r plas yn gynnar gyda'r nos. Wedi cynnau

tân yn yr ystafell eisteddodd o'i flaen yn gyfforddus i ddisgwyl am
y ddrychiolaeth. Ni ddigwyddodd dim am rai oriau. Dim
ond distawrwydd llethol. Tua hanner nos clywai sŵn fel sŵn
llusgo cadwyni ar hyd y llawr. Ac yn y man daeth drwy'r
drws ddynes heb yr un pen, ac yn troi'r pen ar fysedd y llaw
chwith. Wrth ddarllen y rhan gynhyrfus hon o'r stori, yn
sydyn clywem rywbeth yn oernadu yn annaearol y tu allan i
ffenestr y gegin. Heb yr un gair y naill wrth y llall, caewyd y
llyfr yn ddisymwth ac aethom ein dau i'n gwelyau yn ddistaw
bach, wedi dychryn yn enbyd. Gyda'r bore daeth yr eglurhad
syml. 'Roedd mul Hugh Jones y Bwtsiar wedi cael llidiart y
ffrynt yn agored, ac wedi crwydro i'r ardd ac at y golau. Bûm
yn dyfalu ai tybed a welodd yr hen ful gip ar y ddrychiolaeth y
soniai'r stori amdano. Mae'n rhaid fod rhywbeth wedi ei
ddychryn. Ni chlywais erioed y fath oernadu. Ymhen naw
mlynedd a thrigain digwyddai William a minnau fod yn treulio
gwyliau haf yn y Garn ac yr oeddem yn sôn am noson y ddrych-
iolaeth a'r mul.

CREDAF mai Mr. Richard Williams, *Cambrian House*, oedd y gŵr mwyaf ei ddylanwad yn y Garn, yn ôl fel y cofiaf, pan aeth John a minnau yno gyntaf. Edrychai pawb i fyny at Mr. Williams. 'Roedd yn ddyn o farn eang ac yn flaenllaw gyda phob achos cyhoeddus yn yr ardal. Yr oedd yn gaffaeliad mawr i ardal wledig. I ymdrechion diflino Mr. Williams yr oedd Y Garn yn ddyledus gan mwyaf am gael yr ysgol newydd i'r pentref. Cafodd John bob cefnogaeth ganddo trwy'r blynyddoedd y bu'n ysgolfeistr yn y Garn. Gan Mr. Williams yr oedd y busnes mwyaf o ddigon. 'Roedd wedi adeiladu masnachdy gwych. Nid yn aml y gwelid adeilad mor hardd mewn pentref gwledig. Cadwai Mr. Williams stoc fawr o *ddrapery* a groseri. 'Roedd yno *ddressmakers* a *milliners*, ac yn y Cambrian hefyd 'roedd y llythyrdy. Âi busnes y llythyrdy â'r rhan fwyaf o amser Mr. Williams ei hun.

John Roberts, Bryn Moel, oedd *boss* y warows flawd a'r drol a'r ceffyl. Ac os 'rwy'n cofio, yno y bu John Roberts ar hyd ei oes. Arferai Mr. Williams gadw stoc o "patent medicines" a chyffuriau syml eraill. Yr oedd yn un da iawn am roi cyngor, os byddai plentyn yn sâl. Gan nad oedd meddyg yn nes na Phorthmadog neu Ben-y-groes 'roedd hyn yn gryn help. Weithiau, clywid ambell fam yn gofyn i Mr. Williams am werth chwech o "Tu'n Tu'n riwbob, mae Jane bach acw'n sâl". Gwyddai Mr. Williams mai "tincture of rhubarb" oedd y wraig yn 'mofyn, ond "Tu'n Tu'n riwbob" oedd yr enw cyffredin arno yn yr ardal.

Yr oedd yn y Garn siop draper a groser arall, Higart Ucha, neu Siop Brymer fel y'i gelwid. George Brymer, Mrs. Brymer a William y mab oedd yn cario'r busnes ymlaen. Siop go fach oedd Siop Brymer, o'i chymharu â *Cambrian House*. Teulu hynod garedig oedd teulu Brymer, a châi John a minnau

groeso mawr yno bob amser. Nid oedd George Brymer yn
ddyn blaenllaw fel Mr. Williams, *Cambrian House*. Nid âi
byth i na chapel nac eglwys. Eto 'roedd yn ddyn pur alluog,
yn enwedig mewn busnes. Ond yr oedd William y mab yn
fachgen ifanc defnyddiol iawn, ac yn flaenor yn y Capel Isa.
Yn lled fuan ar ôl i ni ddod i'r Garn agorwyd busnes yn Llan-
beris ac aeth William a'i chwaer yno. Bu colled ar ei ôl, yn
enwedig yn y capel. Ni allaf feddwl am George Brymer fel
cymwynaswr i'r ardal ond mewn un peth. Os byddai rhywun
yn dioddef gan y ddannodd fe dynnai'r hen George Brymer y
dant ar ei union. Fe oedd deintydd y Garn. 'Roedd cael
golwg ar yr offeryn tynnu dannedd yn ddigon i ddychryn unrhyw
ddannodd i ffwrdd. Offeryn o waith cartref oedd, ac yn wir yr
oedd golwg ofnadwy ar yr efail dynnu dannedd. Nid wyf yn
meddwl i George Brymer erioed feddwl am ei sterileisio. Ond
tynnodd lawer o ddannedd trigolion y Garn o dro i dro, ac ni
chlywais fod dim byd annymunol wedi digwydd i'r un ohonynt
ar ôl y driniaeth. Ni chododd ddimai ar neb erioed. Cymwynas
oedd, yn ei dyb ef.

'Roedd Owen Williams, Pen-y-bont, hefyd, yn helpu gwneud
i fyny am brinder meddyginiaeth. 'Roedd ganddo oel dan
gamp at wellhau unrhyw friw. Os digwyddai rhywun gael
damwain heb fod yn galw am feddyg, rhedid i siop Owen
Williams am ychydig o'i "Oel glas". Rhyw gymysgedd cartref
oedd yr oel glas, ac ym marn Owen Williams 'roedd yn an-
ffaeledig. Cofiaf i Tom Jones, Tyn-y-cae, fod wrthi'n codi
wal yn ymyl Penybont, a charreg go fawr yn peri niwed i'w law
wrth ei chodi. Rhedodd i Ben-y-bont at Owen Williams gan
ddweud fod llyffant du wedi ei frathu yn ei law, ac Owen
Williams yn rhedeg am y botel oel glas, ac yn dweud wrth Tom,
"Rhaid i ti fod yn ofalus iawn o dy law, peth gwenwynig iawn
yw brathiad llyffant du, weldi". A John fy mrawd yn cael
hwyl am ben y ddau a dweud na allai llyffant du frathu o gwbwl,
gan nad oedd ganddo ddannedd. Ond 'roedd Tom yn berffaith

siŵr mai'r llyffant du oedd wedi ei frathu. Onid oedd ef wedi *gweld* y llyffant o dan y garreg.

Wrth sôn am fusnes a masnach yn y Garn rhaid peidio anghofio'r mulod. Cadwai pob siopwr ful neu ddau. 'Roedd dau ful ym Mhen-y-bont, a bachgen i edrych ar eu hôl. Gwaith y mulod fyddai cario pynnau o flawd i'r tyddynnod ar ochor y Graig a Bwlch y Bedol, lle nad oedd yn hawdd i drol a cheffyl ddringo. Gadawai rhai o'r siopwyr i'r mulod grwydro ar hyd y ffordd dros nos, i bori ar hyd ochrau'r cloddiau. Rhaid cyfaddef fod hyn yn peri cryn drafferth weithiau. 'Roedd gan Hugh Jones y Bwtsiar ful oedd yn gymaint o *wag* â'i feistr. 'Roedd yr hen ful wedi dysgu tric agor llidiart y ffrynt. Rhoddai ei drwyn ar y glicied a gwthiai'r llidiart yn agored â'i dalcen. Erbyn y bore gwelid ôl y mul wedi iddo wledda ar y coed rhosys a'r blodau. Cofiaf stori am John fy mrawd. 'Roedd wedi mynd i Borthmadog ar ôl ysgol y prynhawn, i ryw gyfarfod—cerdded yn ôl a blaen, wrth gwrs. 'Roedd yn bur hwyr arno yn cychwyn yn ôl i'r Garn, ac yntau wedi blino. Cafodd ei hun fwy nag unwaith yn cysgu wrth gerdded. Wrth agosáu at y Garn deffrôdd yn sydyn a'i gael ei hun yn cofleidio rhyw anghenfil mawr blewog. Cymerodd funud neu ddau iddo ddeall mai un o fulod y Garn oedd y bwystfil blewog, wedi cysgu ar ganol y ffordd. Mae'n fwy na thebyg i'r mul fod mewn cymaint dychryn â John !

Daeth amryw gyfeillion at John i erfyn arno godi côr. 'Roedd *Brass Band* pur dda yn y Garn pan aethom yno, ond dim côr. Mr. Williams, Cambrian House oedd un o'r rhai blaen-llaw yn gwneud y cais. Cydsyniodd John ar un amod, nad oeddynt i ddisgwyl iddo wneud dim ond arwain y côr. Felly, ffurfiwyd Pwyllgor, a Mr. Williams, Cambrian House yn gadeirydd. Côr eithaf cartrefol oedd. Gweithwyr oedd y dynion gan fwyaf, ond yn llawn sêl a brwdfrydedd. Bu Mr. Williams yn aelod selog o'r côr. Er prysured oedd ni chollai'r

D

un "practis", a daeth gyda ni i bob cyngerdd a chystadleuaeth.
Ymhen amser ar ôl sefydlu'r côr, daeth gwahoddiad i'r Band
a'r côr fynd i gynnal cyngerdd i Glynnog.   Ar nos Sadwrn y
cynhelid pob cyfarfod cyhoeddus yn y wlad yr adeg honno.
Dyma'r unig adeg y gallai'r gweithwyr fod yn bresennol.   Nid
oedd y fath beth â "half-holiday".   Peth pwysig oedd cael
noson leuad.   Wrth ddewis dyddiad unrhyw gyfarfod, y
cwestiwn pwysig oedd "Sut mae'r lleuad" ?

'Roedd mintai ohonom yn cychwyn o'r Garn i Glynnog, yn
aelodau'r côr a'r Band.   Cofiaf yn dda am ddigwyddiad ysmala
ar y ffordd.   'Roedd ffrind i mi, o Redditch, a'i thad yn berchen
ffatri gwneud celfi pysgota.   Cafodd gan ferched y ffatri wneud
i mi ornament i roi yn fy het.   Bach samon oedd wedi ei wneud
ar lun pluen pysgota, ac yn wir yr oedd yn edrych yn smart yn fy
het.   Gwnes un camgymeriad, ei osod ar ochr fy het a'r bach
y tu allan.   Ar y ffordd i Glynnog penderfynwyd mynd ar
draws dwy ffridd er mwyn torri dipyn ar y ffordd.   Golygai
hyn ddringo cloddiau.   'Roedd yn ffasiwn i ddynion ifanc wisgo
locsyn, ac felly Tom Tyn-y-cae.   Pan oedd Tom yn fy helpu
dros y clawdd, ow ! bu'r locsyn yn brofedigaeth iddo.   Aeth y
bach samon yn sownd yn ei locsyn a dyna lle y bu am hydion yn
ceisio dod yn rhydd, a'r bechgyn a'r genethod mewn hwyl am
ben Tom "wedi ei ddal gerfydd ei locsyn".   Yn yr ysgol ddyddiol
y cynhelid y cyngerdd ; yr oedd yr ystafell yn orlawn.   Nid wyf
yn cofio'r darnau a ganwyd gan y côr na'r Band.   Y triawdau
a genid gan rai o aelodau'r côr oedd yr eitemau mwyaf poblog-
aidd.   Saesneg oeddynt, ond yr oedd John wedi eu trosi i'r
Gymraeg.   "Ffarm Fawr", "Profundo Basso", "Call John"
ac eraill.   Byddai pob un ohonynt yn siŵr o encôr byddarol.

Mi gofiaf i minnau fod yn canu yn y cyngerdd, yn eneth
ychydig dros 14 oed.   Cenais "Merch y Melinydd", "Yn
Iach iti Gymru", a deuawd gyda John, "Yr A.B.C. Duet".
Cafodd pawb encôr, felly mae'n rhaid fod y gynulleidfa yn
eithaf hawdd ei phlesio.   Ar ôl cwpanaid o de cychwynnwyd

yn ôl am y Garn, pawb mewn hwyl dda ar y cychwyn, ond fel
yr oeddem yn nesáu at ben y daith yr oeddem wedi distewi cryn
dipyn. Wedi cyrraedd cyffiniau'r Garn, clywid galw "Nos
da" yma a thraw, fel yr oedd pawb yn troi am ei gartref. Wedi
cyrraedd y capel ucha, 'doedd ond William fy mrawd a minnau
yn aros. Wedi troi i lawr am dŷ'r ysgol 'roeddem yn lluddedig
wedi deunaw milltir o gerdded. Dyna lawenydd oedd gweld
golau yn ffenestr y gegin. 'Roedd Margiad Williams y siop,
yn ôl ei charedigrwydd arferol, wedi anfon Phena i lawr i
gynnau tân a hwylio swper. 'Does ryfedd fy mod yn teimlo
mor agos at Margiad Williams.

Ac yn awr awn yn ôl at yr ysgol. Daeth fy nhymor gyda'r
babanod i ben ar ôl tair blynedd. A hynny oherwydd i'r
Inspector Watts orfodi aelodau'r Bwrdd Ysgol i benodi athrawes
drwyddedig at y babanod, a hefyd i ddysgu gwnïo i'r genethod,
gan mai gwraig o'r pentref a arferai ddod ddwywaith yr wyth-
nos. Ni allai siarad gair o Saesneg ac nid oedd yn deall
gofynion y Pwyllgor Addysg. Cyndyn iawn fu'r Bwrdd i
ymgymryd â'r gost ychwanegol. Ofnent gŵynion y ffermwyr
yn erbyn codi'r trethi. Ond, bu yn rhaid iddynt roi ffordd gan
fod yr Inspector yn bygwth atal y Grant. Felly, penodwyd
Miss J. E. Hughes o Fangor. Nid oedd amheuaeth nad oedd
yn athrawes babanod heb ei hail. 'Roedd yn meddu ar am-
ynedd di-ben-draw ; 'roedd yn siriol bob amser ac yn hoff o
blant. Bu'n gaffaeliad mawr i'r ysgol drwy'r blynyddoedd y bu
yn y Garn. Wrth gwrs, wedi iddi ddod, bu yn rhaid i mi adael
yr ysgol bach lle y bûm mor hapus am y tair blynedd. Rhoddwyd
i'm gofal y standard II yn yr ysgol fawr. Rhaid cyfaddef i mi
fod yn weddol hir yn dygymod â'r ystafell fawr wedi treulio
cymaint o amser ar fy mhen fy hun gyda'r plant bach.

Dau fwgan gennym ni'r athrawon oedd yr Inspector, a
diwrnod yr Egsam. 'Roedd meddwl am eu hwynebu fel
hunlle inni ar hyd y flwyddyn. Diwrnod mawr a phwysig oedd
diwrnod yr Egsam i'r athrawon a'r plant, ond yn bennaf i'r

ysgolfeistr. Byddai'r ysgol wedi ei sgwrio'n lân, ac yn aml heb orffen sychu ; cyfar ar y bwrdd mawr a blodau arno, a llestr dŵr a gwydryn ar gyfer yr Inspector ; y plant oll yn eu dillad gorau a phob blewyn yn ei le, ac yn eistedd yn y desgiau, breichiau ymhleth, dim siw na miw ond sŵn ambell droed yn symud, a phawb a'i olwg ar y drws yn disgwyl yn bryderus am weld y gŵr mawr yn dod i mewn. Watts oedd yr Inspector cyntaf i ni yn y Garn. Person wedi ymddeol oedd Watts, a golwg aristocrataidd, ffroenuchel arno. Edrychai i lawr ar yr Ymneilltuwyr. Ond er mor ffroenuchel oedd, ac er i mi gael fy ngalw i gyfrif ganddo unwaith, 'roedd yn well gen i Watts na'i olynydd William Williams. Caf draethu amdano ef yn nes ymlaen. Dyma sut y bu i mi gael fy ngalw o flaen Watts. Fel y dywedais, pan oeddwn yn 14 oed bu'n rhaid i mi gymryd gofal y tŷ. Cefais help geneth fach o'r ysgol ar ôl cau. Yn ddiweddarach, daeth fy Nhad a'r ddau frawd ieuengaf, Hugh ac Owen, atom. Daeth Nain yn ogystal, am fyr amser, ond ni ddewisai aros i wneud cartref yn y Garn. Yn ôl at ei merch i Fanceinion yr aeth hi. Felly tyfodd fy nyletswyddau yn llawer mwy. Heblaw gwaith yr ysgol a'r tŷ rhaid oedd helpu gyda'r côr, a chôr y plant heb sôn am gymryd rhan ymhob cyngerdd a fâi o fewn cyrraedd. Ychydig felly o amser a gawn i astudio. Yn aml ni fyddwn yn agor llyfr hyd o fewn rhyw dri mis i'r Egsam. Cawn farciau uchel am fy nisgyblaeth ac am ddysgu'r dosbarth ac am waith llaw. Ond yr oedd yn amlwg nad oeddwn i fyny â'r safon arferol yn yr arholiad y tro hwn. A dyma fy ngalw o flaen yr Inspector. Edrychodd yn llym arnaf a meddai yn sarrug : "You have been *very lazy* this year". Teimlais fod fy nghyhuddo o ddiogi yn fwy na allai cig a gwaed ei oddef. Os oedd rhywun yn gweithio yn ddibaid, myfi oedd honno, yn fy meddwl i. Cefais ddigon o wroldeb i ateb : "I have not been lazy, sir", "Well", meddai, "You have not been up to your usual standard. *What* have you been doing" ? Atebais, "I have my brother's house and the family to look after, beside teaching in school, sir". Ni ddywedodd air yn ateb, ac euthum yn ôl at fy nosbarth, a'm coesau yn crynu oddi tanaf ac yn dweud wrthyf fy hun, "Wel, dyna fi wedi gwneud amdanaf fy hun". Anfonodd amdanaf drachefn cyn ymadael, ac yr oedd ei dôn yn fwy caredig. Gofynnodd imi, "Will you promise to work hard next year ? Never mind your brother's house, let it close up with dirt, but you *must* work". Addewais wneud. A dyna'r unig dro i mi gael fy ngalw i gyfrif. Un peth yn gweithio yn erbyn llwyddiant yr ysgol oedd yr anhawster i gael y rhieni i anfon y plant i'r ysgol yn gyson. Nid oeddent yn sylweddoli pa mor bwysig oedd hynny, er budd y plant a'r ysgol. Cedwid rhai o'r plant gartref am wythnosau heb fath o reswm. Nid oedd "Plismon Plant" fel y'i gelwid, wedi ei benodi y blynyddoedd cyntaf ar ôl agor yr ysgol. Cedwid y plant gartref ar bob esgus—chwynnu rwdins, hel cerrig, plannu tatws ac felly yn y blaen. Galwodd John un tro fachgen o'i flaen ar ôl wythnos o absenoldeb. "Why were you not at school last week" ? A'r ateb oedd, "I was toming sir". "*What* were you doing" ? "Toming, sir". Bu yn rhaid gofyn i'r bachgen egluro yn Gymraeg. "Troi'r domen, syr", oedd yr ateb. Ni wyddai'r bachgen sut ar y ddaear gron i ddweud "troi'r domen" yn Saesneg. Yn ôl y rheol 'roedd yn ofynnol i bob plentyn roi hyn a hyn y cant o "attendances" y flwyddyn. Os na fyddai yn bresennol y cyfryw nifer, ni châi eistedd yr Arholiad, ac wrth gwrs, syrthiai maint y Grant. Ambell waith, digwyddai i fachgen neu eneth bur ddwl fod wedi dod yn gyson i'r ysgol drwy'r flwyddyn ac felly yn gorfod eistedd yr Egsam. Achosai hynny gryn brofedigaeth i'r athrawon gan eu bod yn gwybod y canlyniad yn dda—tynnu safon y dosbarth i lawr ac wrth hynny colli rhan o'r Grant. 'Roedd gen i fachgen felly yn fy nosbarth, bachgen a elwid yn Benja'r Odyn. Un dwl ddifrifol oedd Benja. I wneud pethau'n waeth, 'roedd atal dweud arno yn bur ddrwg. Os digwyddai gair ddechrau gyda G, B neu D byddai Benja yn stytian am hydion yn ceisio cael y gair allan. 'Roeddwn yn gobeithio y buasai rhywbeth yn ei gadw gartref ddydd yr Egsam, ond, er fy siomiant, yr oedd yno o flaen neb ac yn wên o glust i glust. Toc, daeth yr Inspector i arholi Standard II a thwrn Benja i ddarllen. Achubais ei ben drwy ddweud, "He stammers, sir". A phasiwyd Benja. Ar ôl darllen, daeth *Mental Arithmetic.* Gwaeth fyth ! Mentrais yr un esgus : "He stammers, sir", a phasiwyd Benja. Y trydydd tro, adrodd y *Tables.* Dyma'r esgus allan, "He stammers, sir". Erbyn hyn yr oedd yr Inspector wedi hen flino ar fy stori, a meddai'n gwta, "Let him write the answers on this slate, he cannot stammer on the slate". A dyna hi ar ben arnaf i ac ar Benja druan.

Un gorchwyl na fyddem ni'r athrawon ddim yn ei hoffi o gwbwl oedd rhoi gwers i'r dosbarth o flaen yr Inspector. 'Roedd yn bwysig iawn i ni wneud argraff dda ar yr Inspector gan fod ein dyfodol fel athrawon yn dibynnu ar y *report* a roddai'r Inspector ar ein gwaith. Cofiaf, un tro, pan ddaeth Watts at fy nosbarth, a minnau'n gorfod rhoi gwers i'r plant. Agorodd Watts y llyfr ar y cas, lle nad oedd dim ond hysbys-ebau, a meddai, "Read that to the class as an example and give a lesson on it". Edrychais yn syn ar y cas a chefais ddigon o ysbryd i ddweud, "These are only advertisements, sir, I cannot very well give a lesson on these". Nid atebodd ond trodd i dudalen arall. Nid wyf yn meddwl ei fod wedi trafferthu edrych beth a roes i mi i'w ddarllen. Ac yn awr 'rwyf am gyfaddef y tric diniwed a fyddai rhai ohonom yn ei chwarae â'r Inspector. Gofalem am gael llyfr newydd sbon erbyn diwrnod yr Egsam i'r Inspector—a dyma'r tric. Dewis gwers neilltuol yn y llyfr, ac yna golchi ar y wers gyda'r dosbarth. A chyn diwrnod yr Egsam, cymeryd y llyfr newydd, troi i'r tudalen y byddom wedi ei baratoi, yna plygu'r llyfr newydd yn ôl gymaint a allem. Pan agorid y llyfr, yn naturiol fe agorai i'r

tudalen y byddem wedi ei pharatoi.   Fel rheol nid âi'r Inspector
i drafferth i droi i dudalen arall.

Pan oedd John yn sgrifennu ei *Atgofion*, Cyfrol IV, am y
Garn a'r ysgol, dywedais wrtho am y tro cyntaf am y tric.
'Roedd wedi rhyfeddu atom yn gwneud y fath beth ; ond,'roedd
ein cydwybod yn berffaith dawel ar y pryd.   Tric digon di-
niwed oedd, yn wyneb system annheg a gorthrymus.   Gwydd-
em am ysgolfeistri ac athrawon fyddai yn twyllo'r Inspector
yn llawer mwy nag y meiddiem ni wneud.   Ni wnâi John
fyth ymostwng i dwyllo'r Inspector, er i hyn yn aml brofi'n
anfantais iddo ei hun.   Fel y dywedais, anodd oedd cael y
rhieni i anfon y plant i'r ysgol yn gyson.   Yn aml anfonid rhai o'r
athrawon at y pechaduriaid.   Hugh fy mrawd (erbyn hyn yn
P.T.) a Richard y Gyrn, y ddau P.T. ieuengaf, a anfonwyd fel
rheol.   Nid oeddent yn hoffi'r neges o gwbwl.   Caent brofi
blas miniog tafod aml fam am iddynt ofyn, yn ddigon cwrtais,
am iddi anfon y bachgen neu'r eneth i'r ysgol.   Ymhen amser
penodwyd swyddog i geisio cael y plant i ddod yn gyson, ond
ychydig o ddylanwad oedd ganddo.   Dyn o'r pentre oedd
Ifan Ifans, neu Ifan y Post, fel yr adweinid ef yn yr ardal.
Postman oedd Ifan Ifans, ac yn gallu ennill tipyn at ei gyflog
prin drwy anfon cardiau o rybudd i'r rhieni a oedd yn esgeuluso
anfon y plant i'r ysgol.   Yn anffodus, ychydig gefnogaeth a
gâi'r swyddog na'r ysgolfeistr gan y Bwrdd Ysgol, fel y cewch
glywed.

Mae yn fy meddiant amryw o gopïau carbon o lythyrau a
anfonodd John at y Bwrdd Ysgol i erfyn am help yn hyn o
beth ; dyfynnaf un ohonynt :

GARN BOARD SCHOOL
Dec. 14.

To the Penmorfa U.D. School Board,

GENTLEMEN,
I respectfully beg to call your attention to the state of the attend-
ance in this school.

It is hopeless to expect an "Excellent Examination" with the shocking attendance we have now.

I have begged the Compulsory Officer to distribute the printed notices this week.

I respectfully beg the Board's support to our effort to get an improved attendance.

I am,

Yours respectfully,

J. LLOYD WILLIAMS.

Dyma un arall

Dear Sirs,

I earnestly beg the Board to second the efforts of the Attendance Officer, to get good attendance. I am exceedingly desirous, for my own sake, of getting the "Excellent Mark". We exert ourselves to the utmost to get it. But we cannot get it when the children lose weeks, even months, at a time.

We have enough work for every school day in the year, so that when children have been absent for a week or a month or half a year, we must in a great degree neglect the children who attend regularly, in order to get the irregular ones to make up arrears of time.

This is unfair to the children, to the parents who send their children regularly, and to the Board.

I have myself felt reluctant to recommend the summonsing of any parents before the Magistrate, but, now, I see it must be done before we can succeed.

Hoping the Board will kindly assist us in this, we pledge ourselves to try our utmost to earn the "Excellent Grant" next year.

I am,

yours truly,

J. LL. WILLIAMS.

Gwelir oddi wrth y llythyrau at y Bwrdd Ysgol mor anodd oedd gweithio o dan y fath amgylchiadau. Mae'n amlwg nad oedd rhai o aelodau'r Bwrdd yn gweld yr ysgol yn ennill digon o grantiau. Sut 'roedd yn bosibl ennill rhagor o grantiau a'r Bwrdd yn gwneud dim i roi help llaw? Ffermwyr oedd rhai o aelodau'r Bwrdd, heb wybod fawr am addysg. Nid oedd anawsterau'r ysgolfeistr o ddiddordeb iddynt. Yr unig ddiddordeb iddynt hwy oedd ennill grantiau heb godi mwy ar y trethi. Cafodd yr ysgol a John bob cefnogaeth gan ein haelod ni yn y Garn—Mr. Richard Williams, Cambrian House. Yn anffodus i ni nid oedd ef ond un ymysg lliaws. Mae'n amlwg oddi wrth gopïau o lythyrau eraill fod rhai o aelodau'r Bwrdd yn ei gyhuddo o gael gormod o ganu yn yr ysgol, ac felly, yn ôl eu barn, yn gwastraffu amser. Dyma ateb John :

Dear Sir,

Please inform the Board that the number of singing lessons on our Time Table is *one* a week, and during the first portion of the school year and all the last quarter, except the *last fortnight* of the school year, even this was not given.

Yours truly,

J. Ll. Williams.

P.S. I ought to have said that so careful have I been in the matter of singing, that we have only singing once a week at most.

Ynglŷn â'r canu yn yr ysgol, 'roedd yn ofynnol darparu rhestrau newydd o ganeuon at bob Egsam. Nid wyf yn cofio'r rhif— tua hanner dwsin o leiaf. Rhoddid y rhestr i'r Inspector ddewis y rhai a fynnai i'r plant eu canu. Gan mai Saesneg fyddai'r geiriau 'roedd y gorchwyl o'u dysgu mewn byr amser yn gwneud y gwaith yn fwy. Felly, sut mewn difri yr oedd disgwyl dysgu rhestr o ganeuon i'r plant erbyn yr Egsam heb gymryd rhyw gymaint o amser yr ysgol ? Yn wyneb yr holl anawsterau ac wedi blino disgwyl cynorthwy gan y Bwrdd, penderfynodd John ar gynllun ei hun—cynllun a gostiodd yn ddrud i'w boced. Prynodd "Magic Lantern", a chael gwneud sgrîn o galico. Gwnaeth gytundeb gyda'r ffyrm i dalu am fenthyg *slides* at y pwrpas, a'u newid o dro i dro. Prynodd hefyd stoc o gardiau ("illuminated cards") rhai bach a rhai mawr. Os byddai plentyn yn bresennol am wythnos heb golli, câi un o'r cardiau bychain. Os gallai ddod â phedwar o'r cardiau bach i'r ysgol am y pedair wythnos, câi gerdyn mawr. 'Roedd y cerdyn mawr yn rhoi hawl iddo ddod i'r "Magic Lantern Entertainment". Bu'r cynllun yn gryn lwyddiant. Gwnâi'r *plant* bob ymdrech i ddod i'r ysgol heb golli diwrnod er mwyn dod i'r *entertainment*. Gwnaeth John amryw o *slides* ei hun, rhai a phob math o bryfed rhwng y gwydrau— gwybed, pryfed copyn a chwilod. Edrychent ar y sgrîn fel rhyw angenfilod anferth, blewog. 'Roedd rhai o'r *slides* yn bur ddoniol, ond addysgiadol oeddynt gan mwyaf. Er mwyn amrywiaeth dyfeisiwyd "Shadow Pantomime". John, William a Hugh oedd yn gyfrifol am y math yma o adloniant. Elfennol iawn oedd y ddarpariaeth. I'r perwyl, gosodid y lamp ar y llawr, a rhaid oedd wrth sgrîn fwy. Cynfas fawr o'r tŷ fyddai ganddynt. 'Roedd yn ofynnol i'r actorion fod a'u hochr at y sgrîn. Pan safai'r actor yn ymyl y sgrîn edrychai'n gymedrol o ran maint. Ond os safai yn ymyl y lamp ymddangosai bron fel cawr. A dyna un rhan o'r actio a fyddai wrth fodd y plant. Un yn sefyll wrth y sgrîn a'r llall wrth y lamp, a gosod y ddau i ymladd. Ac er na byddai yr un o'r ddau yn agos at y llall, ymddangosent ar y sgrîn yn ymladd o ddifri. A sbort oedd gweld y dyn bach yn rhoi cweir i'r dyn mawr. Tric arall fyddai hwn : un yn sefyll wrth y sgrîn ac yn gweiddi, "John, John, tyrd i lawr". A John yn dod i lawr o'r awyr. Yr unig beth a wnâi oedd camu dros y lamp, ond ar y sgrîn ymddangosai fel pe bai'n dod i lawr o'r entrych. Mewn gwirionedd, 'toedd dim pendraw ar yr actio doniol. Ond yr eitem fwyaf poblog-aidd gan y plant fyddai'r dyn yn mynd at y deintydd i gael tynnu ei ddant. Hugh, fel rheol, fyddai'r claf, William y deintydd, a John yn gynorthwywr. Eisteddai'r dioddefwr ar gadair ar ochr y sgrîn, daliai'r cynorthwywr gannwyll, a'r deintydd gyda chlamp o efail bedoli yn tynnu pob math o geriach o enau'r claf— llinynnau o *sausages*, hoelion, ac felly yn y blaen. A'r hwyl fawr fyddai gweld y claf yn llyncu'r gannwyll. Syml iawn oedd hwn hefyd. I gael yr argraff o dynnu o'r genau, yr unig beth a wneid oedd eu tynnu ar hyd ochor yr wyneb. Cawsant wahoddiad un tro i roi perfformiad o'r *Magic Lantern* a'r *Shadow Pantomime* i blant ysgol elfennol Cricieth. Pan ddaethant at y *Shadow Pantomime*, cofiodd Hugh iddo adael y gannwyll ar ôl a gofynnodd i'r gofalydd am fenthyg un. Ac yn ôl ei arfer, gwelid y claf yn llyncu'r gannwyll ar y diwedd. Wedi i'r cyfarfod fynd drosodd, daeth y gofalydd at Hugh a gofyn tybed a oedd yn bosibl cael y gannwyll yn ôl. "Oes, neno'r diar", meddai Hugh. 'Roedd y gannwyll yn ei boced. Slipiodd hi i fyny ei lawes, a throdd ei gefn a dyna lle y bu yn tuchan a thagu ac o'r diwedd estynnodd y gannwyll i'r gofalydd. "Dyma hi. Tydi hi ddim gwaeth". Edrychodd y dyn yn syn ar y gannwyll, ac yna ar Hugh, ac yn meddwl wrtho ei hun, mae'n siŵr, "Wel ! pobol ryfedd iawn yw pobol y Garn yma".

Mae'r modd yma o ddiddori plant yn swnio'n chwerthinllyd o elfennol i blant yr oes hon sy'n gynefin â'r sinema. Ond, credwch hyn, 'roedd plant drigain mlynedd a mwy yn ôl yn mwynhau'r *Magic Lantern* a'r *Shadow Pantomime* lawn cymaint ag y gwna plant heddiw fwynhau'r sinema. A chredaf, er mor syml a chartrefol yr adloniant, ei fod yn llawer mwy iachus er lles y plant.

PENNOD IX

'R OEDDEM fel teulu wedi arfer mynychu moddion y Sul yn
Seion, Llanrwst, yn gyson—naw ohonom rhwng fy
Nhad a fy Mam—ac er na byddem byth yn colli'r moddion, os
na fyddai afiechyd yn rhwystr, eto, er cymaint ein sêl nid oeddem
yn ddigon pwysig i gymryd fawr o sylw ohonom. Pan oedd fy
mrawd a minnau yn cychwyn am ein gyrfa newydd a throi cefn
ar yr hen gartref ni ddaeth na blaenor na gweinidog i ddymuno'n
dda inni ar ein hymadawiad o Lanrwst. Ond pan aethom i'r
Garn ac i'r Capel Isa, mor fawr oedd y gwahaniaeth. Cawsom
groeso cynnes gan bawb ac yr oedd hyn yn help i ni deimlo'n
gartrefol yn ein cartref newydd. 'Roedd llawer o hen arferion
yn y Capel Isa yn ddieithr iawn i mi. Y canu, yn un peth—
ledio'r emyn fesul dwy linell a'u canu, ac felly hyd ddiwedd yr
emyn. 'Roedd hyn nid yn unig yn wastraff amser, ond yn
difetha'r canu—heb reswm o gwbl gan fod pawb yn berchen
llyfr hymnau ac yn gallu darllen Cymraeg. O'r diwedd
llwyddodd fy mrawd i argyhoeddi'r blaenoriaid y dylid rhoi
terfyn ar yr hen arferiad, ond bu yn gryn helynt yn y capel.
Ffromodd dau hen frawd yn enbyd, ac fel protest am feiddio
gwneud i ffwrdd â'r hen arferiad, ni chodai'r un o'r ddau ar eu
traed i ganu ar ôl hynny. Un o'r ddau oedd yr hen lanc
William Roberts, y saer. Y peth doniol oedd na allai ganu.
Canu unsain, wythawd i lawr a wnâi, ac yn swnio fel cacynen
mewn bys coch. Arferiad arall, newydd iawn i mi, oedd gweld
hen ŵr neu wraig yn codi ar eu traed yn ystod y bregeth, heb
neb yn cymeryd sylw. Dywedai rhai mai codi y byddent i
gadw rhag cysgu. Yn y gaeaf cariai'r rhan fwyaf, yn enwedig y
rhai a fyddai yn dod o bell ffordd, "gannwyll lantern", a phrin y
byddai'r pregethwr wedi dweud yr Amen diwethaf, na chlywid
sŵn tanio matsis drwy'r capel.

Tir defaid oedd y rhan fwyaf o ffermydd y Garn a'r Pennant.

Felly cedwid bugeiliaid bron ar bob fferm. Peth rhyfedd i mi oedd gweld y cŵn yn dod i'r capel gyda'r bugeiliaid, ac yn cysgu'n dawel o dan y sêt drwy'r gwasanaeth.

Peth arall a gofiaf yn dda ydyw "galw'r enwau" bob casgliad pen mis. Âi'r gorchwyl ag amser y Seiat nos Sul ar ei hyd i ddim ond galw'r enwau. Owan Owans, Tyddyn y Graig a fyddai'n gwneud y gwaith. Tybiaf ei glywed wrthi : "Sian Jones yr Odyn", a Sian Jones yn gweiddi gyda llais gwichlyd o'r llawr, "Croeswch, Owan Owans". Pan benderfynwyd defnyddio amlenni yn lle'r hen arferiad bu yn helynt flin yn y capel, Owan Owans yn bygwth symud i Golan, capel bach tua Dolbenmaen (ac yr oedd rhai, meddid, yn dweud "Amen"). 'Roedd yn amlwg fod Owan Owans yn rhoi'r bai ar flaenor ifanc newydd ei ddewis. Gwnâi gyfeiriad "at yr hunan sydd i'w weld yn rhai ohonom cyn blaened â'r cotiau ar ein cefnau". Ond aeth y storom hon heibio fel llawer i storom arall.

Arferiad arall oedd yn gyffredinol yn yr ardal yn ystod y blynyddoedd cyntaf i mi yn y Garn, oedd y cadw gwylnos ymhob tŷ lle y byddai marwolaeth wedi digwydd. Buasai peidio a chadw'r wylnos yn beth hollol Anghristionogol, ym meddwl y trigolion. Yn bur raddol y darfu'r hen arferiad.

Dyma'r blaenoriaid a oedd yn y Sêt Fawr cyn belled ac y cofiaf : Owen Jones, Cefn Ucha ; John Pierce, Ystum Cegid ; Owan Owans, Tyddyn y Graig ; William Jones, Y Garreg Gron. 'Roedd Robert Williams, Tŷ Cerrig yn flaenor hefyd, ond mewn enw yn unig. 'Roedd yr hen frawd, pan aethom i'r Garn, yn rhy fusgrell i symud o'i gadair, heb sôn am fynychu'r moddion. Unwaith erioed y gwelais ef, pan wahoddwyd fy mrawd a minnau i de i'r Tŷ Cerrig. Nid wyf yn cofio a oedd ei fab, Owen Williams, yn flaenor, ond yr oedd yn un o'r dynion mwyaf galluog yn y Capel Isa, ac yn ddyn call a deallus iawn. Bu farw yn lled fuan ar ôl i ni fynd i'r Garn ac yr oedd colled fawr ar ei ôl. Gan Owan Owans 'roedd y dawn siarad gorau yn y Sêt Fawr. Am Owen Jones, Cefn Ucha, rhyw

greadur claearaidd, araf deg oedd, ac anfynych y clywid ei lais.
Ac am John Pierce, ni chlywais ef erioed yn siarad gair yn
gyhoeddus. 'Roedd William Jones, Garreg Gron, yn hen
Gristion gloyw. Nid oedd ganddo fawr o ddawn siarad, ond yr
oedd yn barod bob amser i lanw bwlch pan fyddai pawb arall
wedi gwrthod. 'Roedd yn y Capel ddau ddechreuwr canu—
William Jones ac Owan Owans, Tyddyn y Graig. Nid oedd
offeryn i helpu'r canu, ond byddai gan William Jones "pitch
fork". T'rawai y fforch ar y Sêt Fawr a'i ddal wrth ei glust a
chlywid ef yn mwmian wrtho'i hun : "do, so, mi, do", er
mwyn cael y nodyn priodol. Ni fynnai Owan Owans ddim o'r
fath i'w helpu. Gwell oedd ganddo ymddiried yn ei lais, gyda'r
canlyniad y byddai'r hen frawd yn aml yn pitsio'r dôn yn rhy
uchel, a dyna lle y byddem yn gwichian fel perchyll i gyrraedd y
"top notes".

'Roedd gan William Jones un gwendid fel codwr canu.
Ambell dro rhôi'r hen frawd fesur anghywir, na ffitiai'r emyn.
Digwyddodd hyn un nos Sul, ac yn lle ailgychwyn, gwnaeth
fesur ei hun a'i ganu ei hun i'r diwedd. Ar ôl mynd adref
gofynnodd Robert ei fab, "Beth oedd y dôn ddarfu chi ganu
Nhad" ? "Dwn i ar y ddaear fachgen", oedd yr ateb. "Can-
wch hi drosodd i mi", meddai Robert. "Fedra i ddim, ei
gwneud i fyny i ffitio'r geiriau wrth fynd ymlaen nes i". "Wel,
pam na fuasech yn ail ddechrau" ? "Ond 'toeddwn i'n gweld
hwn a hwn (yn enwi dyn y gwyddai ei fod yn awchus am ei
swydd), yn barod i'w chipio hi oddi arnaf, a 'toeddwn i ddim am
adael iddo fo gael y pleser, wyt ti'n gweld".

Ar nos Sul cyn ffair-pen-tymor 'roedd yn arferiad i'r blaen-
oriaid roi cyngor i'r bechgyn ifainc, rhag mynd i'r tafarnau i
yfed yn y ffair. Cofiaf un nos Sul yn dda. Owan Owans, fel
pen blaenor, yn gofyn i Owen Jones, Cefn Ucha, ddweud gair.
Owen Jones yn ysgwyd ei ben. Gofyn wedyn i John Pierce,
ac yntau yn ysgwyd ei ben. Trodd at William Jones, "Dwed-
wch chi air wrthynt heno, William". Cododd William Jones

yn sydyn a chan daro ei law fawr ar y Beibl meddai, "Fechgyn, gwrandewch arnaf. Os ewch i'r dafarn yn y ffair nos yfory ac yn proffesu Iesu Grist yma heno, *cofiwch* am dynnu eich gwisg a'i gadael yr ochr arall i'r drws. Ond cofiwch hefyd, pan ddowch allan o'r dafarn na fydd y wisg ddim yn eich fitio mwyach", ac eisteddodd i lawr.

'Roeddynt yn dewis blaenoriaid mewn capel bach yn ymyl y fan lle y gweithiai William Jones, a'r gweinidog yn eu holi wrth eu derbyn. Gofynnodd i un ohonynt nad oedd wedi bod bob amser yn aelod : "Beth fu yn ddylanwad i ddod â chi at grefydd"? Atebodd y gŵr, "Gweithio gyda William Jones, Y Garreg Gron, fu yn ddylanwad arnaf". Chwarelwr oedd William Jones. Gweithiai yn Ffestiniog. Bu ef a'i bartner yn gweithio gyda'i gilydd am dair blynedd mewn man pur beryglus, lle yr oedd silff o'r graig yn taflu allan uwchben. Gofynnodd Robert, mab William Jones, i'r partner un tro : "Fydd arnoch chi ddim ofn i ddamwain ddigwydd mewn man mor beryglus" ? "Dim o gwbl". "Sut felly" ? "Weldi'r hen lefel bach yn y gornel acw ? Wel, wyt ti'n gweld, mi fydd dy dad yn mynd ar ei liniau i weddïo bob bore cyn dechrau ei *stem*, ac mi fyddaf yn teimlo'n berffaith ddiogel na ddigwydd dim damwain i ni". Un diwrnod, pan ddychwelodd y ddau o'r caban ar ôl awr ginio, cawsant fod silff o graig wedi dymchwelyd yn union ar y fan lle y gweithiai'r ddau.

Cadwai William Jones ddyletswydd deuluaidd yn gyson yn ei gartref. Fel y mwyafrif o chwarelwyr y Garn 'roedd yn meddu ar ychydig o gaeau, a buwch neu ddwy. Ar adeg cynhaeaf deuai rhai o'i gymdogion i'r Garreg Gron i helpu gyda'r gwair. Arferai un cymydog ddod, na byddai byth yn mynd i le o addoliad. Mewn gwirionedd, pagan glân oedd o ran dim proffes a feddai. Aeth i'r Garreg Gron un tro, cyn brecwast, a William Jones ar gychwyn y ddyletswydd. Trodd William Jones ato : "John, darllen di ychydig o adnodau, ac mi af innau i weddi". Dychrynodd John Morris yn enbyd, ond cymaint oedd ei barch at William Jones fel na feiddiai wrthod, ond gofalai ar ôl hyn am chwilio am adnodau i'w darllen ! Ymhen amser ar ôl hyn yr oedd William Jones yn bur wael. Am ryw reswm aeth John Morris i'r Capel Isa un nos Sul, am y tro cyntaf, ac ar y ffordd gartref adroddodd yr hanes wrth Robert, mab William Jones. "Pan alwyd seiat ar ôl a minnau yn ceisio codi i fynd allan, wyddost ti, fachgen, ni fedrwn symud oddi ar y sêt, 'roeddwn fel pe buaswn wedi fy hoelio arni. Ond, gwyddwn yn eithaf da beth oedd wedi digwydd—dy dad oedd yn gweddïo trostof". Pan ddwedodd Robert wrth ei dad chwarddodd yr hen frawd yn foddhaus. Pan 'roedd William Jones yn wael iawn, aeth Owan Owans i edrych amdano. Ar ôl tipyn o sgwrs dwedodd William Jones : "Wel, Owan, 'rydem wedi cydganu'n heddychol am hanner cant o flynydd-oedd, ac y mae hi bron yn amser inni ailddechrau". Yna torrodd y ddau hen gyfaill i wylo. Dyn cyffredin, wedi byw bywyd syml a distŵr oedd William Jones, ond yn amlwg yr oedd ei fywyd dilychwyn wedi bod yn ddylanwad mawr ar ei gym-dogion a'i gydweithwyr.

Ac yn awr trown yn ôl at y canu yn y Capel Isa. Mewn amser ar ôl i'm brawd fynd i'r Garn, daeth ato yn athro cyn-orthwyol fachgen ifanc o'r enw R. H. Williams. 'Roedd yn gerddor da ac yn gallu canu'r harmoniwm. 'Roedd pobl ifanc y capel wedi dechrau aflonyddu am gael offeryn i helpu'r canu, ac R.H. ar y blaen, wrth gwrs. Achosodd hyn helynt nid ychydig, yn enwedig ymysg yr hen flaenoriaid. Ond, fe fynnai'r bobl ifainc gael offeryn, a thalu amdani. Er ei phrynu, nid oedd caniatâd i'r harmoniwm fod yn agos i'r Sêt Fawr. Ac am amser, a'i chefn ar y pared wrth y drws a chlo arni, y bu. Yr oedd Owan Owans wedi cael awgrym gan rywun fod y bobl ifainc yn bwriadu gwneud apêl yr ail waith at y blaenoriaid i gael defnyddio'r harmoniwm gyda'r canu. Un noson wrth fynd gartref o'r seiat ganol-wythnos ac yn cydgerdded gyda Owen Jones, Cefn Ucha, meddai Owan Owans, "Wyddost ti beth sydd ar yr hogiau yma eisiau 'rwan" ? "Na wn i". "Wel, maent eisiau dod â'r hen ingian ganu yna i'r Sêt Fawr, weld di." "Taw da chdi", meddai Owen Jones. "Felly y clywais i", meddai Owan Owans. "Wel, dangos dy ddannedd iddyn nhw, Owan", meddai Owen Jones. Yn lle gwneud apêl at y blaenoriaid penderfynwyd ffurfio pwyllgor cryf o'r bobl ifainc a phawb a oedd yn bleidiol i gael yr offeryn gyda'r canu, a gofyn i Owan Owans gyhoeddi'r pwyllgor nos Sul ar ôl y gwasanaeth, heb ddweud beth oedd i fod dan sylw. Owan Owans yn cyhoeddi'r pwyllgor. "Mae yma ryw bwyllgor i fod ar ôl ddyliwn. 'Dwn i yn y byd mawr beth sydd i fod ger eich bron. Hwyrach ei bod yn well i ni aros i glywed". Ac felly y bu. Cododd un o aelodau'r pwyllgor i roi mater yr harmoniwm gerbron ac aeth yn wenfflam ulw. Credai William Jones, y Garreg Gron, y byddai wedi darfod arno am byth fel codwr canu, ac Owan Owans yn dweud yn blaen ar goedd mai "Offeryn y cythraul" oedd "yr ingian ganu yma". Pan welodd R.H. fod pethau wedi mynd mor boeth, cododd i geisio darbwyllo'r hen frodyr, ond nid oedd gan Owan Owans le o gwbwl i'r bobol ifainc, ac ni chredai y dylasent gael unrhyw lais yng ngwaith yr eglwys. 'Roedd ganddo arferiad, pan gollai ei dymer, o afael yn llabed ei gôt yn union fel pe bai ar dynnu ei gôt i ymladd. A phan gododd R.H. collodd Owan Owans ei dymer, a chan afael yn llabed ei gôt gwaeddodd, "Eistedd i lawr Rhisiart, 'rwyt ti'n lled ifanc i ddod i'r fan yma i godi dy gloch". Ac eistedd i lawr fu raid i R.H. Pan welodd y pwyllgor nad oedd modd cael na threfn na rheswm yn y ffordd yma, penderfynwyd pleidleisio ar y cwestiwn, a chariwyd y dydd gyda mwyafrif mawr. Pan welodd Owan Owans ei fod wedi colli'r dydd, meddai : "Os fel yna y mae mi af fi i Golan". A meddai rhywun a oedd yn eistedd yn ei ymyl, "Os ydach chi am fynd i Golan, mi ddof finnau hefyd". Trodd Owan Owans arno'n chwyrn gan ddweud : " 'Toes dim lle i ti yno". "Wel",

E

meddai'r llall, "os ydych chi'n dweud eich bod am fynd, mae rhyddid i minnau ddod hefyd". Ymhen ysbaid, cododd yr hen flaenor ei ben, "Hwyrach", meddai, "hwyrach fod yn well plygu na thorri". Yn naturiol 'roedd y bobl ifainc ar uchelfannau'r maes, wedi cael y llaw uchaf ar yr hen flaenoriaid. Aed ati gyda brwdfrydedd mawr i wneud trefniadau at y Sul. Cyfarfod gweddi oedd i fod y Nos Sul ganlynol, a phenderfynwyd cael gwasanaeth yr offeryn, am y tro cyntaf, yn y cyfarfod gweddi. Torrwyd terfyn rhwng dwy sêt i wneud lle i'r harmoniwm. Tybiwyd nad doeth fyddai tarfu'r hen flaenoriaid ymhellach trwy osod yr "injian ganu" yn y Sêt Fawr. Trefnwyd i bawb a oedd a llais i ganu eistedd yn llawr y capel, y tu ôl i'r harmoniwm, a dewiswyd tonau ac emynau a digon o fynd arnynt. Wel! daeth y nos Sul, a'r capel yn llawnach nag y bu ers llawer dydd. 'Roedd y ddau ddechreuwr canu yn eu lle fel arfer—un ymhob pen i'r Sêt Fawr. Pan roddwyd yr emyn cyntaf allan i ganu ni wnaeth yr un o'r ddau ymgais i ddechrau'r canu. William Jones wedi cau ei enau yn dynn dynn, ac Owan Owans yn edrych i fyny at y galeri rhag iddo weld yr injian ganu o'i flaen. Er eu syndod aeth y canu ymlaen yn llwyddiannus hebddynt. Ni ddarfu i'r un o'r ddau ddychmygu fod y fath beth yn bosibl. Yr ail dôn i'w chanu oedd *Hyfrydol*, ac yr oedd yn mynd gyda hwyl neilltuol. Gan fod R.H. yn wynebu'r Sêt Fawr wrth yr offeryn gwelai wefusau Owan Owans yn mynd ar ei waethaf gyda'r canu. Ac o'r diwedd methodd yr hen ŵr â dal, a thorrodd allan i ganu â'i holl enaid fel y gallai. Ar ôl gorffen gwaeddodd, "Treia hi eto Rhisiart"; ac felly y bu—a dyblu a dyblu. A dyna ddiwedd yr helynt gyda'r "injian ganu" yn y Capel Isa, a diwedd storom arall fel llawer un o'r blaen.

Yn yr hen lyfr emynau yr oedd llawer o emynau a chwynnwyd pan ddaeth llyfr tonau newydd i fod. Cofiaf am un hen emyn sy'n awr wedi mynd dros gof ers llawer dydd. Dyma'r

pennill fel y cofiaf ef.   Y mae o leiaf 60 mlynedd er pan glywais
ei ganu.

> Mi fûm wrth ddrws uffern yn curo,
>   Gan geisio cael myned i mewn,
> Ond dwedodd y gŵr oedd a'r goriad
>   Ei fod wedi ei gauad, na chawn.
> Yr amser bûm yno yn curo,
>   Agorwyd i eraill mi wn.
> Pwy wêl arnaf fai am ei garu
>   Pa gyfaill sy'n haeddu fel hwn.

Cefais gerydd llym unwaith am ganu'r hen emyn.   Digwydd-
odd i bregethwr fod yn lletya gyda ni dros y Sul yn nhŷ'r ysgol y
Garn, a minnau yn hwylio cinio yn y gegin ac yn canu'r emyn.
Gwaeddodd y pregethwr o'r parlwr, "Miss Williams bach, da
chi, peidiwch canu'r emyn ofnadwy yna".   Rhaid cyfaddef nad
oeddwn wedi sylweddoli fod dim o'i le yn yr emyn.   Canwn ef
am fy mod yn hoffi'r dôn.   Yn ddiweddar anfonodd Miss
Jones, Bro Eifion, Y Garn, a'i chwaer Mrs. Harris, imi amryw
emynau diddorol iawn.   Ni wn a gawsant erioed eu cyhoeddi.
Dyma un :

> Tu draw i'r llen wrth chwilio'r llyfrau
> Pwy wyr na cheir fy enw innau
> Ar ddwyfron hardd yr Archoffeiriad
> A gondemniwyd gynt gan Pilat.

Dywedodd Mrs. Harries iddi ddysgu'r pennill gan ei hen
nain o Glynnog.   'Roedd yr hen nain wedi priodi "un o'r byd"
(un heb fod yn aelod) ac yn ôl deddf y Methodistiaid Calfinaidd
yr adeg honno, torrwyd hi allan o'r Seiat.   Aeth yn ôl ymhen
amser ond gwrthodwyd hi.   Aeth yn ôl yr ail waith a chael ei
gwrthod.   Ceisiodd am y drydedd waith, a gwrthodwyd hi.
Wrth gerdded allan, trodd at y blaenoriaid gan adrodd y pennill :

> "Tu draw i'r llen, wrth chwilio'r llyfrau
> Pwy wyr na cheir fy enw innau".

Cyn iddi fyned allan drwy'r drws galwodd yr hen ben blaenor, Jâms Williams, arni : "Tyr'd yn ôl, Sian fach, 'toes dim torri allan arnat, ddyliwn".

Dyma enghraifft arall a gefais gan y ddwy chwaer.   Ni wn a ydynt yn deilwng o'r enw emyn, ond yr oedd llawer iawn o'r hen emynau yr un mor rhyfedd,

> Elias y Thesbiad a deithiodd fel gŵr,
> Ar deisen o fara a dysgliad o ddŵr.
> Fe'i porthwyd gan gigfran, mae'n hynod o syn,
> Fe yfodd o'r afon yn siŵr y pryd hyn.

Dywedodd Mrs. Harris mai John Pierce (blaenor yn y Capel Isa), Ystumcegid, a ddysgodd y pennill iddi hi a'i chwaer pan oeddynt yn blant pur fach.   'Roedd John Pierce wedi cael cinio Sul gyda'r teulu, a dysgodd y pennill iddynt cyn mynd i'r ysgol Sul y prynhawn.

Rhoddodd Huw fy mrawd hen bennill od iawn i mi.   Pan oedd yn byw yn Llundain bu yn lletya am flynyddoedd gyda Chymraes o Sir Gaerfyrddin.   'Roedd ei thad yn Berson mewn plwyf cyfagos.   Pan oedd yn eneth 'roedd gan y teulu hen forwyn o'r enw Rachel.   Gallai Rachel wylo yn hidl adeg y mynnai, ac âi'r Person a Rachel gydag ef pan ddigwyddai angladd yn y tloty, gan ei fod yn berffaith siŵr y gallai wylo ar ôl unrhyw un.   Arferai Rachel ganu wrth ei gwaith.   Dyma un hen emyn a ganai gydag arddeliad :

> "Mewn coffin cul cyn hir caf fod,
> Heb allu symud llaw na thro'd.
> Fy nghorff yn llawn o bryfed byw,
> A'm henaid bach lle mynno Duw".

Collwyd golwg ar Rachel pan briododd.   Aeth yn weddw, a daeth yn ôl at y teulu.   Dyma a ddywedodd : 'Roeddem ni ein dau yn dost iawn.   Y fi oedd y dosta o lawer, ond y fe fu farw".

PENNOD X

Ymhen pedair blynedd ar ôl i'm brawd a minnau adael
Llanrwst, fel y dywedais eisoes, daeth Nhad â'r ddau
fachgen ieuengaf, Hugh ac Owen, a'm Nain i'r Garn. Cartref-
odd Nhad yn hapus iawn, ond nid felly Nain, ac aeth yn ôl at ei
merch.

Erbyn hyn yr oedd y teulu bron yn gryno yn y Garn, ag
eithrio Dic ym Manceinion a Bob yn Llanrwst. 'Roedd Bob
wedi bwrw ei brentisiaeth a gweithiai gyda Sam Parry'r builder.
Mae'n amlwg nad oedd ei feistr yn meddwl yn uchel iawn ohono
fel crefftwr. Cyfaddefodd Bob wrth John fod Sam Parry wedi
bygwth rhoi sac iddo os na wnâi feddwl mwy am ei waith a rhoi
gorau i'r "farddoniaeth yna". 'Roedd Bob wedi ei lyncu gyda
barddoniaeth. Credaf iddo ddod o dan ddylanwad fforman
pan oedd Bob yn brentis—dyn o'r enw Robert Jones, llenor
a bardd da.

'Roedd Bob yn gyfaill i Elfyn hefyd, ac yn edmygydd mawr
ohono. Mae'n fwy na thebyg fod hyn hefyd wedi dylanwadu
llawer ar Bob. Edrychai i fyny at Elfyn fel rhyw fod uwch
nag ef ei hun. Onid oedd Elfyn yn glerc yn y Banc ! Edrych-
id ar ddyn a weithiai mewn Banc fel gŵr-bonheddig mawr.
Gyda mam Elfyn y bu Bob yn lletya ar ôl i nhad adael Llanrwst.
Cofiaf i Bob, pan oedd tua'r 16 oed, ennill gwobr mewn cyfarfod
cystadleuol yn Nant Bwlch yr Heyrn. Gwilym Cowlyd oedd
y beirniad. Y testun oedd "Tuchangerdd i'r Slotiwr". Ni
wn beth a ddaeth o'r ddychangerdd, ond cofiaf y byrdwn ar ôl pob
pennill :

> O ragrithiwr ffei ffei !
> O ragrithiwr, ffei, ffei !
> Ti haeddit dy hangio
> Am slotian yn slei.

Pan oedd y tri brawd yn fechgyn yn Llanrwst, John yn "P.T."
yn yr ysgol "Britis", Dic yn brentis o ôf, a Bob yn saer, cysgai'r
tri yn yr un gwely mewn ystafell yn y cefn a Bob erbyn hyn
wedi dechrau pendroni ym myd barddoniaeth ac yn ceisio
dysgu'r rheolau i'w ddau frawd.   Byddai'r ddau frawd arall yn
gwneud dipyn o wawd am ben Bob, druan, trwy wneud rhigym-
au digrif i wylltio Bob.

Cefais gan fy mrawd Hugh ddwy enghraifft o'u hymdrechion :

I'r Shinon (i.e. Chignon)

Shiam pen yw'r swp shinon,
O flew march, neu o flaen ei hir gynffon.
Llau mawr a'u llu cywion
A nythant yn mhen yr eneth hon.

Pe tae'r lloer yn disgyn
Fel cosyn caws i lyn y felin,
Mi fuasai'r splashio'n anghyffredin
Y dŵr yn bwrstio'r cobiau cedyrn
Gan ddwyn y melinydd a'i dŷ i'w ganlyn,
Yr hwyiaid yn ffeintio gan faint eu dychryn
Y melinydd yn gwaeddi rhag ofn iddo foddi
A Tobi yn cyfarth a'r lloer wedi meddwi.

Gwelir oddi wrth y rhigymau nad oedd dawn farddonol yn yr
un o'r ddau !   Wrth sôn am rigymu, cofiaf am un a gefais gan
Hugh fy mrawd a'r stori a berthynai i'r rhigwm.   Dyma a
sgrifennodd Hugh :

"Pan ddychwelais i'r Garn yn 1940 euthum am dro un
diwrnod i gyfeiriad Sgubor Gerrig.   Yn y cae gwelwn y
ffarmwr Morris Jones yn aredig, a'r hen gaseg, hen, hen iawn,
o'r enw Liws, yn tynnu'r aradr.   Bob hyn a hyn safai Liws
a chysgai'n sownd, a'r ffarmwr yn gweiddi, 'Dos yn dy flaen
Liws ffwr ti, dos wir, Liws bach'.   Cerddai Liws ychydig
lathenni, yna safai drachefn, a Morris Jones yn cethru arni, ac

felly ar hyd y cae. Yn fuan wedi hyn clywais fod Liws wedi
marw a Morris Jones wedi cyfansoddi pennill coffa ar ei hôl.
Pan oeddwn yn mynd heibio i'r Ynys Ddu un diwrnod pwy
welais wrth y cytiau moch ond Morris Jones yn prynu perchyll.
Gofynnais iddo adrodd y pennill. Tynnais ddarn o bapur o'm
poced, a'i bwyso ar wal cwt mochyn er mwyn sgrifennu'r
pennill. Dyma fe :

> "Rhyw ddiwrnod go ryfedd oedd claddu'r hen Liws
> A'i rhoi yn y bedd heb arch ac heb scriws.
> Ond bore'r Atgyfodiad fe gyfyd yn rhwydd
> A'i chynffon i fyny fel polas bach flwydd".

Galwodd Hugh fy sylw at garreg fedd ym mynwent Eglwys
Dolbenmaen, yn glos wrth bared gorllewinol yr Eglwys. Ar y
garreg mae'r beddargraff a ganlyn :

> Underneath lye the remains of Huw Parry of Tyddyn y Graig.
> Drover who departed this transitory life on the last day of May
> A.D. 1796 in the 55th year of his life.

> Gwel waeled saled fy seler,——ystyr
> I ostwng dy falchder ;
> A chofia ddyniach ofer,
> Nad oes i fyw, ond oes ferr.

Nid oes wybodaeth pwy oedd yr awdur. Diddorol yw
cofnodi fod mab yr Huw Parry hwn yn dad i swyddog (Lefften-
ant) ar y llong ryfel "Victory" ac yn un o'r rhai a fu'n helpu i
gario Nelson i lawr i'r *cockpit* pan gafodd ei glwyfo ym mrwydr
Trafalgar.

Ymhen amser blinodd Bob ar Lanrwst ar ôl i'r teulu adael, a
daeth yntau i'r Garn. Penderfynodd gymeryd seibiant oddi
wrth saernïaeth i astudio ac i ddarllen. 'Roedd yn awyddus am
gael gwaith yn Lloegr er mwyn gwella ei Saesneg. Ymhen
amser dechreuodd aflonyddu am gael gwaith. Mae'n debyg fod

ei arian erbyn hyn yn mynd yn brin, ond yr oedd yn rhy anni-
bynnol i gyfaddef y ffaith i Nhad a John.   Un diwrnod cych-
wynnodd ar ei daith i chwilio am waith, ac o'r diwedd fe'i cafodd
ei hun ym Mirmingham, ond heb lwyddo i gael gwaith, ac yn
amlwg yr oedd ei arian bron a darfod.   Un bore daeth llythyr
i John yn gofyn am help, gan ddweud ei fod wedi ffaelu'n lân
cael gwaith, ei arian wedi darfod a gŵr y llety yn bygwth ei
droi dros y drws.   Anfonodd John arian iddo gyda throad y
post, ond ni chafodd Bob yr arian.   Ymhen deuddydd derbyn-
iodd John nodyn drwy'r post heb nac amlen na stamp—dim ond
darn o bapur yn dweud ei fod wedi ei droi allan o'r llety a heb
arian i gael bwyd na lle i gysgu noson ac yn erfyn ar i John
anfon help iddo i'r *General Post Office*.   Daeth yr ail S.O.S.
ar fore Gwener a phenderfynodd John fynd i Birmingham ei
hun.   Felly ar ôl ysgol y prynhawn aeth i Birmingham dros nos
a chyfeiriodd ei ffordd at y G.P.O.   Yn y man, gwelodd Bob yn
dod a golwg lwyd, benisel arno.   Tarawodd John ei law
ar ei ysgwydd.   "Bob", meddai.   Trodd lygaid syn ar John
a heb ddim cyfarchiad dwedodd : "Tasai dim byd wedi dod
heddiw 'roeddwn wedi penderfynu ' listio.' "   Nid oedd yr adeg
honno ddim byd gwaeth na ' listio.'   Nid oedd mynd at y
soldiwrs yn beth "respectable".   Fe fûm yn meddwl lawer
gwaith—tybed a fuasai effaith ' listio ' wedi deffro tipyn arno.
Gyda fod y tai bwyta wedi agor aeth John ag ef i gael brecwast
o ham ac wyau.   Digwyddodd John ddweud : "Ond tydi'r ham
ma'n hallt iawn".   Rhoddodd Bob ei gyllell a'i fforc i lawr ac
edrychodd yn syn a'i ddau lygaid mawr ar John, a meddai,
"*Hallt* ddwedaist ti ?   *Hallt* ? pe baet wedi bod heb ddim bwyd
fel fi fuaset ti ddim yn dweud fod yr ham yn hallt".   Llwyddodd
John i gael llety cyffordus iddo gyda gwraig weddw a'i mab,
a rhoi help ariannol iddo hyd nes y llwyddai i gael gwaith.
Cafodd waith yn lled fuan, gyda ffyrm a elwid yn "Repairing
Shop", ac yno y gweithiodd Bob ar hyd y blynyddoedd y bu yn
Birmingham.   'Doedd dim dadl na feddai Bob ar allu mawr.

Yn wir, myn fy mab-yng-nghyfraith, R. Hopkin Morris, mai
Bob oedd y mwyaf galluog o'r teulu i gyd. Gresyn na fyddai
wedi cael cyfleusterau addysg yn more ei oes—ond breuddwyd-
iwr oedd Bob. Pan lwyddodd fy mrawd William i ennill
ysgoloriaeth i Goleg y Brifysgol, Bangor, cafodd John lythyr
digon digalon oddi wrth Bob yn cyferbynu ei sefyllfa ei hun â
llwyddiant William. Ysgrifennodd John ato yn erfyn arno
adael Birmingham a dod yn ôl i'r Garn a chymeryd seibiant i
astudio ar gyfer mynd i'r Coleg ; ei fod yn meddu ar ddigon o
allu, ond wrth gwrs y byddai yn rhaid iddo weithio'n galed, ond
y buasai'n rhoi pob help iddo. Ond, ysywaeth, nid oedd gan
Bob ddigon o uchelgais na phenderfyniad i gymeryd mantais ar y
cynnig ac ni fu ei allu na'i wybodaeth o fudd i neb—dim ond
pleser iddo ei hun. Gwelir nad ofer fu aberth Nhad a Mam
yn anfon John i'r Coleg, yr hynaf o saith o blant. Cymerodd
John faich y teulu ar ei ysgwyddau pan nad oedd ond ifanc iawn
a thrwy hynny helpu ei frodyr ieuengaf i gael addysg. 'Roedd
yn rhy ddiweddar i roi help ym myd addysg i Bob a Dic, ond
gwnaeth yr hyn a allodd iddynt hwythau hefyd. Caf sgrifennu
rhagor am helbulon Bob ymhellach ymlaen.

Yn y gyfrol IV o'r *Atgofion* ceir manylion hanes sut y bu i gôr bach cartrefol y Garn benderfynu mynd i'r Eisteddfod Genedlaethol ym Mhwllheli yn 1875 i gystadlu. Cofiaf yn dda y prawf fu ar aelodau'r côr. Syndod oedd gweld dynion mawr cryfion yn crynu wrth feddwl mynd dan y prawf gan y "Scwl bach". Ychydig amser yn ôl, pan oeddwn yn chwilota am bapurau neilltuol, deuthum ar draws ysgrif o waith fy ngŵr, W. H. Williams. 'Roedd wedi dechrau ysgrifennu ei Atgofion ond ni chafodd fyw i'w cwblhau. 'Roedd yn 74 pan ddechreuodd ar y gwaith yn y flwyddyn 1924. Y mae yn yr ysgrif bethau diddorol iawn.

Brodor o Fôn oedd W.H. a daeth yn orsaf-feistr i Fryncir yn fachgen ifanc. 'Roedd amryw gyfeillion o Fryncir yn aelodau selog o'r côr : William Evans, y Felin, dyn tal, pryd golau, yn gerddor da ac yn meddu ar lais tenor swynol dros ben. (Gyda llaw, fe oedd tad R. H. Evans fu yn "P.T." yn y Garn ac yn ddiweddarach, yn brifathro Ysgol Amaethyddol Madryn. Mab arall oedd Harry Evans, yn ffarmio yn awr yn Llystyn Isa, yntau hefyd yn gerddor da ac yn gwneud gwaith da gyda'r canu yn Eglwys Soar, Bryncir) ; John Jones, Glandwyfach, yn gerddor da ac yn cymeryd lle John fel arweinydd y côr pan fyddai John yn absennol, a D. J. Williams, Plas Llecheiddior, ffarmwr, dros ddwy lath mewn taldra. 'Roedd y tri ymysg yr aelodau mwyaf selog. Ni fyddent yn colli practis. Deuent i'r cyfarfod canu bump y Sul ; i lawr yn ôl i Fryncir, ac i fyny drachefn ar ôl gwasanaeth y Sul i'r practis—pellter o ddwy filltir bob tro. Daeth W.H. yn gyfaill mawr â'r tri a hudwyd yntau i ymuno â'r côr. Daeth hefyd yn gyfaill mawr â John, a buont yn gyfeillion mynwesol ar hyd eu hoes. Yn ei ysgrif rhydd W.H. ei hanes yn gorfod mynd dan y prawf pwysig y soniaf amdano. Nid oedd W.H. yn fawr o ganwr er ei fod yn mwynhau canu. Gallai ganu llawer o hen gerddi a chaneuon gwerin a ddysgodd oddi wrth y gweision yn llofft y stabal pan oedd yn fachgen yn ei gartref, Cefn Du Isaf. Nid oedd ganddo fawr syniad am amseriaeth na sain. Ni wyddai pa un ai canu'n fflat ynteu yn siarp a wnâi, ond gallai ganlyn y sawl a fai wrth ei ochr heb fawr dramgwydd. Ac er fod John ac yntau gymaint cyfeillion, dwedodd fod ei goesau yn crynu wrth feddwl am y prawf. Ar ôl taro amryw nodau ar yr offeryn a W.H. yn eu swnio, trodd John ato, "Mi newch y tro". Daethom yn ail a chôr mawr Porthmadog allan o bump o gorau. Fel y tybiwch, daeth y côr bach o 25 yn ôl o Bwllheli yn bur gefnog, ac nid heb achos. Cawsom ganmoliaeth uchel gan y beirniad. Da yw dweud fod yr aelodau a chwynnwyd wedi dod yn ôl i'r gorlan ar ôl y gystadleuaeth, ond am yr hen lanc, William Roberts y Saer, collodd ef ei ddiddordeb ac ni ddaeth ar gyfyl y côr byth mwy. Ymhen amser cawsom gyfle i roi curfa dda i gôr mawr Porthmadog. Cynhelid cylchwyl gerddorol bob blwyddyn yng Nghastell Cricieth. Yn y gylchwyl gyntaf penderfynwyd cystadlu ar y brif gystadleuaeth gorawl. Nid wyf yn cofio beth oedd y darn. Credaf mai un o waith David Jenkins oedd. 'Fe oedd y beirniad, modd bynnag. 'Roedd yno amryw gorau, ac yn eu mysg Gôr Porthmadog, côr wedi ennill enw, a John Roberts yr arweinydd yn gerddor gwych. Cofiaf eiriau David Jenkins yn ei feirniadaeth am ein côr ni—ei fod yn teimlo "thrill" yn mynd trwyddo wrth wrando arnom yn canu.

Ar ôl hyn byddem yn cystadlu'n gyson bob blwyddyn yn y Gylchwyl, ac fel rheol yn cipio'r gwobrwyon, fel yr oeddem wedi mynd i deimlo'n dipyn o "lanciau", chwedl pobl Sir Fôn, er i John ein rhybuddio ein bod mewn perygl o fynd yn ddiofal. Penderfynodd y Pwyllgor ein bod i fynd i Eisteddfod Caer-narfon. 'Roedd fy mrodyr, William a Hugh yn canu alto yn y côr erbyn hyn ac ar Hugh y byddai'r cyfrifoldeb o edrych ar ôl y copïau. Ar ôl mynd i'r trên ym Mryncir rhoddodd Hugh y parsel ar y silff, ond yn anffodus pan ddaeth i lawr yng

ngorsaf Caernarfon anghofiodd y cwbwl am y parsel a bu rhaid
canu heb gopïau. Am ryw reswm, am y tro cyntaf yn ein
hanes, canodd y côr yn sobor o sâl. 'Roeddem yn ein teimlo
ein hunain yn canu'n sâl. Ni raid dweud ein bod yn bur isel
yn y gystadleuaeth ac yr oeddem yn mynd yn ôl "fel ci wedi
torri ei gynffon".

Cedwid y cyfarfodydd canu yn gyson haf a gaeaf—nos
Fawrth a nos Sul. Yn y practis cyntaf ar ôl y "cwymp oddi
wrth ras" yng Nghaernarfon dwedodd John wrth Hugh am
chwilio am ddigon o gopïau cyfan erbyn practis nos Fawrth.
Gwnaeth Hugh felly. Pan roddwyd y copïau allan i'r côr
chwarddodd pawb. Dewisiad Hugh oedd anthem angladd
Jarret Roberts, "Wylwn, Wylwn, Cwympa'r Cedyrn". Ceisiai
Hugh ddweud mai damwain oedd ei ddewis, ond nid wyf yn
siŵr o hynny chwaith ! Tipyn o *wag* ydyw Hugh hyd y dydd
heddiw. Ond beth bynnag, teimlodd y côr fod y jôc yn un
amserol iawn a'n bod yn ei llawn haeddu. 'Roedd amryw o'r
bechgyn ifainc yn y côr a lleisiau rhagorol ganddynt. Llwyddodd
John ymhen amser i roi gwersi i amryw ohonynt a daethant yn
gantorion gwir dda. Un ohonynt oedd Bob Jones—Ehedydd
Eifion—meddai ar lais bariton campus, a digon o hunanfeddiant.
Cofiaf ef yn cystadlu ar y "Challenge Solo" mewn cystadleu-
aeth y Llungwyn yn y Garn, a David Jenkins yn beirniadu.
Dywedodd am Bob Jones, "Mae dyfodol disglair i'r bachgen
ifanc yma, ond iddo weithio a chymeryd gofal o'i lais". Bu
"Hedydd" yn ganwr pur lwyddiannus am rai blynyddoedd, ond
ysywaeth gwnaeth bob peth ond cymeryd gofal o'i lais. Gyda
llaw ymhen blynyddoedd lawer ar ôl i John a minnau adael y
Garn, aeth William, fy mrawd arall, a minnau i'r hen ardal am
wyliau, ac yr oeddym yn aros ym Mhen-y-bont gyda Mr. a Mrs.
Davies. Un diwrnod daeth Mr. a Mrs. Roberts, *Barmouth
House*, i edrych amdanom (mab i Owen Roberts, Caeramos).
'Roedd gan Mr. Roberts englyn buddugol a gyfansoddwyd i mi
yn un o'r cyfarfodydd cystadleuol y soniaf amdanynt. Nid

oedd cystadleuaeth gorawl yn y cyfarfod hwn. Oherwydd
hynny dewisodd John barti o'r goreuon o gôr y plant i ganu yn
un o'r ddau gyfarfod, er mwyn amrywiaeth, a minnau yn
arwain. Cofiaf un darn a ganodd y parti : "Italian Salad" a
chawsom ganmoliaeth fawr gan David Jenkins. Rhoddodd y
Llywydd, y Parch. J. Spinther James, M.A., D.Litt., Llandudno,
wobr o 2s. 6d. am yr englyn gorau i arweinyddes y côr. A
dyma'r buddugol, o waith Thomas Jones o Glynnog, yn ôl
Mr. John Roberts—

> I arwain côr amryw ragorion,—a welaf
> Yn Miss Williams ffyddlon,
> A doniau uwch na dynion
> Sydd iddi hi i'r swydd hon.

Mae'n debyg mai'r rheswm am y testun oedd fod merch fel
arweinyddes yn fwy anghyffredin yr adeg honno nag ydyw yn
awr. Beth bynnag am hynny, nid oeddwn yn cofio dim am yr
englyn. Mae'n amlwg nad oedd wedi gwneud argraff arnaf.
Cofiaf fwy am y siwt newydd a gefais at y cyfarfod !

Ac yn awr, yn ôl at y bechgyn. Bachgen arall a ddaeth yn
ganwr da iawn oedd William y Ffatri, fel y'i gelwid. Mab
oedd i William Williams, y Ffatri. 'Roedd William Williams
yn aelod selog o'r côr ac yn meddu ar lais bas gyda'r gorau a
glywais. 'Roedd yn swnio fel pibellau organ, a bron yn ddigon
cryf i gôr ei hun. Bariton oedd llais William y mab, ac yn ôl
tystiolaeth John yn llais hynod gyfoethog. Byddai Hedydd ac
yntau yn tynnu torch yn aml, a bu'r ddau yn gydradd ar
"Challenge Solo" fwy nac unwaith.

Bachgen arall a ddatblygodd yn ganwr poblogaidd iawn oedd
Bob Jones y Garreg Gron (Robert Jones, y Gwyndy, Llan-
ystumdwy yn awr). Aeth i Lerpwl i weithio a bu mewn bri
mawr yno fel canwr, yn enwedig ymysg y Cymry. Tenor
oedd ac er ei fod yn awr dros ei bedwar ugain mae ei lais yn dal
yn glir ac yn soniarus o hyd.

Cofiaf am fachgen arall a ddeuai i gael gwersi at John. Tenor oedd ac yn aelod o'r côr ac yn meddu ar lais da dros ben. Penderfynodd gystadlu ar "Challenge Solo" mewn cyfarfod ym Mhorthmadog. Saesneg oedd y solo, allan o'r Messiah, "And he shall dash them to pieces". Anhawster bechgyn a genethod nad oeddynt wedi cael fawr o ysgol yr adeg honno oedd swnio'r *sh*—er enghraifft, yn lle *fish* a *shilling*, *ffis* a *silling* a ddywedent bron yn ddieithriad. Ac felly y bachgen hwn, "He sal das them to pieces" a ganai ar waethaf y gwersi. O'r diwedd meistrolodd yr anhawster yn lled dda. Ond, druan bach, pan aeth ar y llwyfan anghofiodd y wers. "He *sal das* them to pieces" a ddaeth allan a phan sylweddolodd beth a ganai collodd ei ben ac aeth allan o diwn. Nid wyf yn meddwl iddo fentro cystadlu ar ôl hynny, er y canai mewn cyngherddau yn yr ardal yn bur llwyddiannus.

O bob un o'r bechgyn, yr un a ddaeth i fwyaf bri fel canwr oedd Griffith Jones, Pen y Bryn—Gutun Eifion. 'Roedd Gutun rai blynyddoedd yn iau na'r bechgyn eraill. Bachgen bach yn yr ysgol oedd pan adewais i y Garn i briodi. Tenor oedd Gutun. Ymhen amser priododd ferch ifanc o Bethel yn ymyl Caernarfon—Mary Catherine Williams—hithau hefyd yn gantores wych. Bu'r ddau yn canu mewn cyngherddau ac Eisteddfodau ar hyd a lled Cymru. Bu'r ddau yn canu unwaith o flaen rhai o'r teulu brenhinol. Wedi iddynt ymfudo i'r Unol Daleithiau gwnaethant enw mawr iddynt eu hunain fel cantorion yno. Nid oeddwn yn siŵr iawn ai fy mrawd a roes gychwyn i Gutun ai peidio, gan fod John wedi gadael y Garn yn 1893. Y dydd o'r blaen derbyniais lythyr oddi wrth Mrs. Gutun Eifion, yn ateb i'm gofyniad. Dyfynnaf o'r llythyr :

"Yes ! It *was* Dr. Lloyd Williams who gave Gutun his first lesson and started him on his career as a singer, and continued to do so for a long time. He remembers to this day how he used to drill into him : "*Dont shout* when you sing, any one can do that". Your brother was great on training the soft piano passages, which were

the great beauty of Gutun's voice. He often says, 'I have Dr.
Lloyd Williams to thank for that.'

We have a son who is also a professional singer. His father told
him a little while ago that he was trained on singing the soft passages
by his first teacher".

Bu John yn rhoi gwersi i amryw o fechgyn eraill na ddaethant
i gymaint bri ar y llwyfan. Bu hefyd yn rhoi gwersi mewn
canu i ferch ifanc—Jennie Williams—Llinos Alltwen, o
Benmorfa, pentre rhwng y Garn a Phorthmadog. Gwnaeth ei
chartref yn ddiweddarach yng Nghricieth gyda'i chwaer a'i
brawd-yng-nghyfraith, Mr. a Mrs. Roberts, Llys Caradoc, neu
Llew Glas fel yr adwaenid Mr. Roberts. 'Roeddynt yn deulu
caredig iawn a châi John a minnau groesaw calon yno bob
amser. Chwaer oedd Llinos Alltwen i Gwilym Alltwen,
Birkenhead, a briododd y gantores lwyddiannus, Maggie Jones
Williams. Contralto oedd Llinos Alltwen a chanddi lais
swynol dros ben. 'Roedd hefyd yn eneth brydweddol iawn—
yn wir yr oedd yn dlws fel pictiwr a phawb yn hoff ohoni.
'Roedd mor syml a difeddwl-ddrwg am neb. Ni chlywais hi
erioed yn dweud gair sâl am neb. A phan ddaeth i gymaint
sylw ni chollodd ei phen. 'Roedd yr un mor syml â chyn dod i
fri fel cantores. Ni wastraffodd ei hamser i gystadlu. Yn
hytrach aeth i'r Coleg i Aberystwyth i astudio o dan y Dr.
Joseph Parry. Cofiaf imi dreulio pythefnos o wyliau gyda hi
yn Aberystwyth. Lletyai hi a merch ifanc arall—Helena
Edwards o'r Wyddgrug, gyda'i gilydd ar y ffrynt. Treuliais
wyliau difyr iawn gyda'r ddwy. Rhyw 17 oed oeddwn ar y
pryd ac yr oedd bywyd Coleg ymysg myfyrwyr yn fywyd dieithr
iawn i mi. Un o'r myfyrwyr oedd "Davies Rhos" fel y'i
gelwid—W. Davies, awdur "O na byddai'n haf o hyd".
Cofiaf i mi gael mynd gyda'r ddwy i bractis y "Choral". Yr
hyn a'm synodd oedd cyn lleied o ddisgyblaeth oedd gan y Dr.
Parry ar y myfyrwyr. Methai yn lân gael eu sylw, er gweiddi a
churo'r ddesg â'r baton. Cofiaf fel yr oedd Haydn, mab hynaf

y Dr. Parry, yn gwneud i'r merched chwerthin trwy ddynwared ei dad o'r tu ôl iddo. Un direidus oedd Haydn. Bu Llinos Alltwen yn cymryd rhan bwysig yn Opera "Blodwen" y Dr. Parry, fel Lady Maelor. Mae yn fy meddiant lun ohoni yn y cymeriad hwnnw. Gresyn fod "Blodwen" wedi mynd allan o fri. Credaf y câi heddiw well derbyniad nag a gafodd pan aeth y Dr. Parry a'r cwmni drwy Gymru. Dywedir mai colled fawr fu'r antur honno i'r Dr. Parry. Hwyrach fod Cymru heddiw yn cymryd mwy o ddiddordeb mewn canu Cymraeg nag yr oedd yn y cyfnod hwnnw. Cyn i'r Dr. Parry fynd yn Athro i Aberystwyth arferai ganu mewn cyngherddau. Cofiaf ef yn dod i'r Garn i gadw cyngerdd, a Haydn yn fachgen bach yn cyfeilio iddo. Canodd un gân Eidalaidd a chafodd encôr byddarol. Pan ddaeth yn ôl i ganu'r encor dwedodd fod yn dda ganddo weld fod pobl y Garn yn deall Italian mor dda ! Canodd John a minnau lawer ar y ddeuawd "Hywel a Blodwen", ac nid wyf yn meddwl inni erioed ei chanu heb gymeradwyaeth fyddarol. Arferem actio tipyn arni. Cenais innau lawer hefyd ar gân Lady Maelor, " 'Rwy'n cofio'r adeg ddedwydd".

Ar ôl gyrfa lwyddiannus yn y wlad hon aeth Llinos Alltwen i'r Unol Daleithiau, lle y priododd yn lled fuan. Bu iddi un mab a ddaeth yn ganwr o fri mawr yno.

Ni chefais i wersi mewn canu gan neb ond John ac ni chefais erioed gystadlu ganddo. Dysgais un wers ganddo nad anghofiais byth mohoni—rhoi lle priodol i'r *vowels* heb orwneud. Cenais lawer ar yr hen alaw a'r geiriau ardderchog "Hobed o Hilion".

> Pan oeddwn yn fugail yn Hafod y Rhyd
> A'r defaid yn dyfod i'r gwair ac i'r ŷd.
> Tan goeden gysgodol mor ddedwydd own i
> Yn cysgu, yn cysgu wrth ochr y ci.
> Gwelaf a welaf, af fan a fynnaf
> Yno mae fy nghalon
> Gyda'm hen gyfeillion
>   yn mwynhau
> Y meusydd a'r dolydd a'r hafddydd ar ei hyd.

Synnaf na bai mwy o ganu ar yr hen alaw yma. Nid wyf yn cofio imi ganu cân Saesneg mewn cyngerdd. Credaf imi ganu bron bob un o alawon y "Songs of Wales". Hoffwn yn fawr "Ymadawiad y Brenin". Cenais lawer arni, er mai geiriau Cymraeg sâl ddifrifol sydd iddi. Ysgrifennodd John eiriau ysgafn imi ar yr alaw.

"Morwyn wyf fi, morwyn Ty'n y Rhos
Gweithio 'rwyf o foreu gwyn hyd y nos" etc.

Ambell dro byddai'n anodd dod o hyd i rywbeth newydd i'w ganu. Ar adeg o'r fath chwiliai John am eiriau cyfaddas, o waith Mynyddog yn aml. Âi at yr offeryn a dyna lle y byddai yn ceisio cyfansoddi alaw i ffitio'r geiriau. Gelwid arnaf yn awr ac yn y man i'r parlwr : "Cana hwn, 'prun ydi'r gora wyt ti'n feddwl, hwn, ynteu hwn" ? Ac felly ymlaen nes y câi ei fodloni. Yna gelwid arnaf i'w chanu ac yn bur aml digwyddai hyn ychydig oriau cyn y cyngerdd. Nid oes yr un nodyn ohonynt ar gael heddiw. Un yn unig a gofiaf—un a wnaeth ar eiriau Mynyddog :

"A raid imi ymadael
A'r mwyn gymdeithas gu ?
Peth anhawdd iawn yw gadael
Y Gân, Y Tân, a'r Tŷ.
Daw mwyniant gyda'r dydd pan ddaw
I wasgar trallod ar bob llaw,
Ond, cysur wrth ymadael
Nad ydyw cariad cu
Yn newid nac yn gadael
Y Gân, y Tân, a'r Tŷ".

Cenais lawer ar hon, er na fu erioed nodyn ohoni ond mewn solffa ar ddarn o bapur wedi ei sgrifennu â phensal led. Yr unig fan lle y mae wedi ei argraffu yw yn fy nghof.

Rhaid cyfaddef fod gan John un arferiad pur gas. Os na

F

fyddai ond un copi ar gael, hawliai hwnnw wrth yr offeryn.
Achosodd hyn brofedigaeth i mi un tro. 'Roeddem ein dau i
ganu mewn cyngerdd yng nghapel Soar, Bryncir. James
Savage oedd prif ganwr y cyngerdd—dyn ifanc hynod bryd-
weddol a chanddo lais tenor gyda'r gorau yng Nghymru yr adeg
honno. 'Roedd ar ddechrau ei yrfa lwyddiannus. Pan
ddaeth fy nhro i ganu 'doedd ond yr un copi ar gael ac yn ôl ei
arfer hawliai John y copi. Ni chofiaf beth oedd y gân, ond yr
oedd iddi lawer o benillion. Am y tro cyntaf erioed anghofiais
y geiriau ac er i John geisio fy helpu, ni allwn gofio gair. Yr
oedd fy nghof fel pe bai rhywun wedi cau drws arno. Eistedd
i lawr fu raid i mi, yn teimlo na allwn fyth sefyll ar lwyfan i
ganu ar ôl tynnu'r fath warth arnaf fy hun, ac ar John. Cyd-
ymdeimlodd y gynulleidfa â mi gan dybio mai teimlo'n wael yr
oeddwn. Cefais gyfle cyn diwedd y cyngerdd i ganu yr ail
waith ac ennill tipyn o'm cymeriad yn ôl. Bu'n wers i John.
Ni wnaeth fy ngorfodi i ganu heb gopi mwyach.

Flynyddoedd lawer ar ôl yr anffawd, a mi erbyn hyn wedi
priodi ac yn byw yn Llanrwst, clywsom fod James Savage ar
ymweliad â'r hen wlad ac yn lletya yn Nhrefriw ar ei wyliau, yn
"Siop Ellis". 'Roedd Trefriw a Siop Ellis mewn bri mawr yr
adeg honno. Dynion yn unig a gâi letya yno. 'Roedd
cymdeithas enwog yn perthyn i'r Siop—"Cymdeithas y Gegin
Fawr". Rhaid oedd mynd drwy seremoni neilltuol cyn y
byddai neb yn deilwng i fod yn aelod o'r gymdeithas. Pender-
fynodd W. H. a minnau fynd yno i edrych amdano. Cawsom
amser diddorol iawn yn ei gwmni, ac, yn rhyfedd iawn, cofiodd
am yr anffawd a ddigwyddodd imi yn y Bryncir. Adroddodd
am un digwyddiad doniol iawn yn ei hanes. Cyn ymfudo i'r
Unol Daleithiau bu yn aelod o'r Carl Rosa Opera Company.
Pan oedd y cwmni yn rhoi perfformiad o "Faust" yn Covent
Garden, a Savage yn "Faust", yn yr olygfa ddiwethaf ar y
llwyfan a'r diafol wedi dod i gyrchu Ffaust i'r pwll diwaelod, y

mae'r ddau yn sefyll ar fath o "trap door", ac yn raddol gwelir y
ddau yn cychwyn i lawr i'r dyfnderoedd a mwg a fflamau coch
yn byrlwmu o'u cwmpas.   Ond, y tro hwn digwyddodd rhyw
ddryswch yn y peiriant, ac nid oedd symud ar y "trap door".
Gwaeddodd rhyw *wag* o'r "Gods", "Hi, boys ! Hell's full at
last".

Ac yn awr, yn ôl eto i'r ysgol. Ymhen amser llwyddodd John i fagu athrawon ("P.T.s") wedi eu haddysgu ganddo ef ei hun. Nid wyf yn meddwl y cafodd unrhyw ysgolfeistr set o fechgyn gwell nag a gafodd yn y cyfnod hwnnw. 'Roeddynt yn eiddgar am lwyddiant yr ysgol ac yn ffyddlon i'r ysgolfeistr. Caf enwi rhai ohonynt : R. W. Jones, Tŷ Cerrig. Bu yn "P.T." am dymor ac yn ôl pob rhagolygon yr oedd dyfodol llwyddiannus iddo fel athro ysgol. Yn anffortunus, ac er siomiant iddo ei hun, bu yn rhaid iddo adael yr ysgol i edrych ar ôl y ffarm pan fu ei ewythr Owen Williams farw. Bachgen arall oedd Robert Owen, Cae'r Arba (Dr. Robert Owen ar ôl hynny). Byr fu ei dymor fel P.T. Gadawodd yr ysgol ac aeth i Ben-y-groes at ei ewythr, Dr. Evan Roberts. Un arall oedd William Williams, Plas Llecheiddior, neu Willie Ty'n Rhos fel y'i gelwid. Mae'n debyg mai fi oedd ei athrawes gyntaf. Cofiaf ei fam yn ei gyrchu i'r ysgol babanod. Arhosodd y pum mlynedd fel "P.T." cyn mynd i'r Coleg. Bu'n athro yn Ysgol Sir Llanrwst am flynyddoedd hyd nes iddo ymddeol. Gweithiodd yn ardderchog gyda'r bobl ifainc yn Llanrwst, ac iddo ef mae'r clod am ddechrau Cymanfa Pobl Ifainc Dyffryn Conwy. Soniais o'r blaen am R. H. Evans, Graddiodd yn B.Sc. ym Mangor a bu yn ben ar Ysgol Castell Madryn. "P.T." arall oedd Richard Williams, y Gyrn. Aeth i'r Coleg a bu yn ysgolfeistr ar un o ysgolion mwyaf Reading lle daliodd i wneud gwaith da ar ôl ymddeol. Canmolai John W. O. Jones, William y Pandy fel y'i gelwid. Yr oedd yn "P.T." da iawn ac yn gaffaeliad mawr i'r ysgol. Bu yntau yn athro llwyddiannus ar un o ysgolion mwyaf y *Potteries*. Wedi iddo ymddeol daeth yn ôl i'w hen ardal. Mae'n byw gyda'i frawd, Robert Jones, Bryn Eifion. Mae W. O. Jones yn ddyn defnyddiol iawn yn yr ardal ac yn flaenor gyda'r Methodistiaid Calfinaidd. Bachgen arall a fu yn llwyddiannus iawn yn ei yrfa oedd David John Williams, Tŷ Newydd. Ar ôl gadael y Coleg bu mewn swydd fel *assayer* yn y gweithfeydd aur yn Ne Affrica, ac ar ôl dychwelyd i'r wlad yma llwyddodd i gael swydd bwysig o dan y Llywodraeth.

Am William fy mrawd, cafodd ef ysgoloriaeth i Goleg y Brifysgol, Bangor. Oddi yno aeth i Lundain i'r *Royal College of Science*. Bu am dymor yn Gyfarwyddwr Addysg yn Abertawe, ac ar ôl hynny yn H.M.I. o dan y Bwrdd Addysg, lle y bu nes ymddeol.

Gadawodd Hugh fy mrawd yr ysgol cyn gorffen ei brentisiaeth fel "P.T." ac aeth i'r *Art School* yn *South Kensington*.

Gwelir fod pob un o'r bechgyn a enwais wedi cyrraedd safle anrhydeddus, a dim un ohonynt wedi cael diwrnod o addysg ond yn ysgol elfennol y Garn, fel "P.Ts.".

'Roeddynt yn glod i'r ardal ac i'r ysgolfeistr. Y mae hen drefn y *Pupil Teachers* wedi diflannu ers llawer dydd bellach. Credaf fod llawer i'w ddweud o'i phlaid. Byddai athrawon yn cael eu *magu* yn athrawon y pryd hynny. Câi pob "P.T." bum mlynedd i baratoi at addysgu'r plant.

Wedi i'r Inspector Watts ymddeol, William Williams oedd ei olynydd. Dyn annhebyg iawn i Watts o ran ymddangosiad, dyn tal, tenau, ag wyneb cul, hir ganddo, oedd yr Inspector newydd. Ni welais wên ar ei wyneb erioed. A dyfalwn yn aml ai tybed a allai wenu o gwbl.

Ac yn awr dywedaf ychydig am fy mhrofiad fy hun fel "P.T." a'r Inspector newydd. Dywedais eisoes y byddai'n ofynnol dysgu rhestr o ganeuon at bob egsam. Rhoddid y rhestr i'r Inspector a dewisai'r rhai a fynnai i'r plant eu canu. Un tro, a'r plant yn y desgiau yn barod i ganu a John yn barod i arwain, cododd yr Inspector ei law. "Don't you conduct", meddai. "Let one of the teachers do it". Edrychodd o'i gwmpas. Myfi oedd yr unig ferch oedd yn "P.T." ac yn lled ifanc. "Let *her* do it". Ni wyddai'r hen frawd fy mod wedi hen arfer â'r gorchwyl gan mai fi fyddai'n arwain côr y plant a John yn canu'r harmoniwm. I John y perthynai'r harmoniwm, ond yn yr ysgol y cadwai hi o un pen blwyddyn i'r llall, at wasanaeth yr ysgol. Ond, ddydd yr egsam, cludid yr harmoniwm druan i'r tŷ, cyn i'r Inspector gyrraedd. Pe buasai yn meddwl am foment fod yr offeryn yn rhoi help inni gyda'r canu buasai'n ddigon o reswm iddo ei chondemnio, a John am ei harfer.

Cofiaf ddiwrnod egsam arall. 'Roedd yn amlwg nad oedd yr Inspector wedi llwyddo i gael dim bai ar y canu. Yn sydyn, gofynnodd i'r plant *adrodd* y geiriau yn lle eu canu. 'Roedd yn ormod i'r plant ar fyr rybudd. Y dull o ddysgu'r caneuon newydd fyddai 'sgrifennu'r alaw mewn solffa ar y *Black Board* a'r geiriau oddi tanodd. Ymhen amser byddai'r plant wedi dysgu canu'r alaw a'r geiriau ar unwaith, felly nid hawdd oedd ganddynt ddatgysylltu heb dipyn o feddwl. Gwylltiodd yr Inspector yn gidyll. "This won't do at all. They *must* be able to repeat the words of all the songs". Ac wrth gwrs, dyma *black mark* yn erbyn y canu. Y flwyddyn ganlynol, bu athro pob dosbarth yn gweithio'n galed i weld fod y plant yn gallu adrodd geiriau pob cân yn drwyadl. Ond pan ddaeth diwrnod yr egsam, ni chofiodd yr hen gnaf ddim amdanynt. Rhaid mai mympwy'r Inspector ar y pryd oedd a dim arall. Nid oedd ryfedd i ni'r athrawon gredu mai gwaith Inspector oedd pigo beiau a thynnu'r *Grant* i lawr. Un anhawster mawr i ni oedd problem y ddwy iaith. Yn Gymraeg yr arferai'r plant feddwl, a chyfieithu i'r Saesneg yn eu dull eu hunain. Un diwrnod egsam, a'r Inspector yn arholi Standard IV, a'r dosbarth yn ateb y cwestiynau ar bapur, dywedodd yn sydyn, "Put your pens down". Gwnaeth y plant felly, ond un eneth fach. Edrychodd hon yn syn yn ei wyneb. *"Put your pen down"*, meddai'n gwta. Rhoddodd yr eneth fach druan ei *phen* i lawr ar y ddesg ! "Tut ! Tut !" meddai'r Inspector, a *black mark* yn ei herbyn.

Pan oedd William fy mrawd yn H.M.I. cafodd ar ddeall fod

Pwyllgor Addysg Sir Gaernarfon yn bwriadu ail wampio ysgol y Garn a'i gwneud yn fwy modern. Teimlodd awydd am weld yr hen ysgol fel yr oedd yn ein hamser ni, cyn iddynt ddechrau ar y gwaith. Gofynnodd tybed oedd yr hen Log Book ar gael, ac yr oedd. Wrth droi'r tudalennau gwelodd yn llawysgrif John, "Punished John Jones, Lon Gert, for talking Welsh in the playground". Beth pe bai rhai o hen Inspectors y cyfnod hwnnw yn cael rhoi tro drwy Gymru heddiw a gweld yr ysgolion Cymraeg ar hyd a lled y wlad !

Nid oedd merched yn Inspectors yr adeg honno. Felly William Williams fyddai'n arolygu gwaith gwnïo'r genethod. 'Roedd yn ofynnol i ni fel "P.T." wneud dilledyn neilltuol at bob egsam a safon y gwaith yn codi bob blwyddyn. Rhaid oedd cynnwys pob math o bwythau yn y dilledyn. Gwelais William Williams un tro yn dal fy ngwaith rhyngddo a'r golau, a'i dynnu, a gwneud yn berffaith siŵr nad oedd golau i'w weld rhwng y pwythau.

Pan orffennodd William fy mrawd ei bum mlynedd fel "P.T.", yn hytrach na mynd i'r Coleg Normal, cymerodd le yn yr ysgol fel athro cynorthwyol er mwyn cael astudio am ysgoloriaeth i'r Prifysgol. Trefnydd campus oedd William. Ac er fod John wedi dechrau sistem y *Class Curators* y sonia amdani yn ei Gyfrol IV, penderfynodd William ei pherffeithio. Prin y byddai'n ofynnol i'r athrawon gadw disgyblaeth ar y dosbarthiadau, gan mor effeithiol y gwnâi'r *Curators* eu gwaith. Trefnodd William i bob *Curator* wisgo band am ei fraich i nodi ei swydd, band coch, melyn, glas neu wyrdd. A chymaint y gwerth a roddai'r plant ar y swydd fel yr oedd yn ddigon o gosb am drosedd i fynd a'r "Badge of Office" oddi arnynt. Byddai pob swyddog yn yr ysgol yno'n brydlon cyn dechrau, a'r llyfrau, llechi, ink, penholders, a phobpeth yn eu lle'n drefnus. Un peth a sefydlodd William fu'n boblogaidd iawn ymysg y bechgyn, sef troi rhan o iard chwarae'r bechgyn yn ardd flodau. 'Roedd dwy iard fawr braf, ond nid oedd neb wedi gwneud ymgais i roi

fawr trefn arnynt.   Lle carregog iawn yw'r Garn, ac felly'r
ierdydd.   Mor garegog oeddynt fel mai'r unig beth y gellid ei
wneud a hwynt oedd gwneud "Rock gardens".   Gweithiai'r
bechgyn fel nafis, pob un at ei waith, a swyddog i edrych ar ôl
pob adran.   Mor berffaith y gweithiai system y *Curators* fel
nad oedd yn rhaid iddynt wneud dim mwy na thynnu llinyn ar
draws yr iard.   Ni feiddiai yr un bachgen groesi'r llinyn terfyn,
dim ond y rhai a weithiai'n y gerddi.   Erbyn hyn 'roedd yn
ofynnol cael celfi at y gwaith, rhawiau, cribiniau, etc.   Ac o
gyflog prin yr ysgolfeistr y daeth yr arian i dalu amdanynt.   Pe
byddai wedi mynd at y Bwrdd Ysgol am yr arian buasent yn
gwaredu rhag y fath "wastraff" ac yn credu yn sicr fod y "Scŵl"
yn dechrau drysu.

'Roedd y garddio'n mynd ymlaen yn ardderchog a'r bechgyn
yn gweithio a'u holl egni, trwy amser chwarae, a chanol dydd ar
ôl cinio.

Erbyn hyn yr oedd y genethod wedi dechrau swnio.   Pam na
chaent hwythau ran yn y gwaith ?   A'r peth a wnaed oedd
rhoi y "Lafatoris" yn eu gofal.   Ond drwg gennyf orfod
cyfaddef na fu hyn yn llwyddiant.   Yn eu sêl byddent wedi
sgwrio a pholisio cymaint arnynt fel y cadwent glo arnynt rhag
i'r bechgyn eu baeddu !   A dyma'r sort o gŵyn yn aml wrth
Mistar : "Please Sir, Jane Jones, Pandy, wont let me go to the
closat".   Felly bu yn rhaid anfon y genethod i'w libart eu
hunain, a gadael i'r bechgyn gymryd eu siawns.

Pan ddaeth dydd yr egsam edrychai'r gerddi'n hardd dros
ben—yn llawn blodau ac yn werth eu gweld.

Aeth John â'r Inspector William Williams i'r iard i gael
golwg ar y gerddi, gan ddisgwyl gair bach o gymeradwyaeth.
Yn lle hynny edrych yn sarrug, fel pe bai newydd yfed drachtiad
o finegar, a wnaeth.   Trodd ei gefn ar y gerddi, fel pe bai yn
gas ganddo edrych arnynt, a meddai wrth John : "Look here,
Mr. Williams, I would not waste my time with *frills* like these
if I were you.   Concentrate on the three Rs., that is what you

should do. I would also like to call your attention to another matter. I actually saw a girl in the third standard not holding her pen properly" ! 'Roedd hyn yn fater pwysig iawn gan Inspectors yr adeg honno. Os na fyddai'r plant yn dal y *penholder* yn ôl y ddeddf ofynnol, byddai'n bechod anfaddeuol ac yn golygu colli marciau. Temtir fi i adrodd stori a glywais am William Williams a dal *penholder* yn ôl y drefn. Pan fu farw William Williams sgrifennodd ysgolfeistr a ddioddefodd o dan ei benarglwyddiaeth at gyfaill, yn disgrifio William Williams yn cyrraedd yr ochr draw, ei ambarel yn un llaw ac yn y llaw arall ei fag bach du. Curodd wrth ddrws y nefoedd a daeth Pedr i'r drws. "I am William Williams, Inspector of Schools from Wales". Pedr yn ysgwyd ei ben, "I have never heard of you". "Oh", meddai'r Inspector, "you must have. I held a *very* important position in Wales". "I dont think your name is on our books", meddai Pedr. "But you can come in while we examine the books". Galwodd Pedr ar ryw angel bach o glerc i edrych drwy'r llyfrau. Toc, gafaelodd yr Inspector ym mraich Pedr yn gynhyrfus, "Do you see that ?" "See what" ? gofynnodd Pedr. "Don't you see that little angel" ? "Yes", meddai Pedr, "What is wrong with him ?" "Don't you see that he is not holding his pen properly ?"

Er gwaethaf William Williams daliodd John ymlaen i weithio a chyfrannu addysg yn ei ddull ei hun. Wrth gwrs câi ei hun fyth a hefyd yn ymladd yn ei erbyn ac yn tynnu trafferth arno ei hun. Câi'r plant eu hannog i gymeryd sylw o unrhyw beth ym myd natur a fai'n ddieithr iddynt, a dod â'r cyfryw i'r ysgol am eglurhad gan yr athrawon. Rhyfedd y diddordeb a gymerent. Cafodd John gan William Roberts y Saer wneud cwpwrdd mawr i'r ysgol a dyma "Miwsiwm" y plant, ac yno rhoddwyd pob "specimen" yn ei le yn daclus a'r enw priodol arno. 'Roedd o fantais fawr i'r plant fod William fy mrawd yn ddaearegwr pur dda. Felly gallai egluro iddynt wahanol greigiau'r ardal, ac yn aml âi â dosbarth allan i chwilio am *specimens*. Byddai'r cwpwrdd yn llawn o wahanol gerrig.   Cafodd gan William Roberts wneud acwariwm fechan o wydr tew mewn ffrâm goed.   'Roedd wedi gosod ynddi blanhigion dŵr a cherrig, a phob math o chwilod dŵr.   'Roedd yno bryfed dŵr na welais na chynt na chwedyn rai tebyg iddynt.   O ran siap y cyrff 'roeddynt heb fod yn annhebyg i'r ceiliog rhedyn, neu sioncyn y gwair, ond eu bod yn wyn fel ifori bron ac yn galed.   Pryfed dŵr eraill oedd rhai a alwai John yn cadis, os wyf yn cofio. Gwnâi'r creaduriaid yma fath o diwb o'r graean a mwd am- danynt.   Yn y dŵr edrychent fel priciau bach o goed tua modfedd o hyd.

Credaf ei fod hanner can mlynedd o flaen ei oes yn ei ddull o gyfranu addysg.

PENNOD XIII

CREDAF fod yn hen bryd i mi bellach sôn am gôr y plant fu mewn cymaint bri. Dechreuodd John gyfarfod canu i'r plant, a dysgu lleisio a darllen solffa. Dysgwyd darnau bach syml i ddechrau, yna penderfynwyd dysgu "Cantata'r Adar" gan Joseph Parry, gyda help rhyw hanner dwsin o ddynion yn y corawdau. Bechgyn gan mwyaf a ganai'r unawdau, Bob Jones yn canu "Cân y Bachgen", Bob, y Garreg Gron, "Cân Robin Goch". Credaf mai dyna'r tro cyntaf iddo ganu ar lwyfan, a gwelwyd hyd yn oed yr adeg honno fod dyfodol iddo fel canwr. Hugh fy mrawd oedd y Dryw Bach, William ac un arall yn canu'r deuawd "Yr Eurbinc", ac Eos Graeanog yn canu'r Eryr. Gan nad oedd lleisiau'r genethod wedi datblygu'n ddigon da gorfu i mi gymryd rhan y Fronfraith, yr Eos a'r Hedydd. Cawsom hwyl pur dda arni a chawsom wahoddiad i Ben-y-groes i roi perfformiad. Wedi canu'r cantata amryw weithiau, teimlodd John fod yn hen bryd dysgu rhyw waith newydd. Ond amhosibl oedd cael Cantata ysgafn i blant yn Gymraeg. 'Doedd dim i'w wneud felly ond mynd at y Saesneg. Cafodd John afael ar y gantata Saesneg "The Flower Queen" gwaith G. F. Root, a throsodd y geiriau i'r Gymraeg. Ychwanegodd rai corawdau o'i waith ei hun er mwyn ei helaethu. Teitl y Gantata oedd "Brenhines y Blodau". Er mwyn i'r plant edrych yr un fath ar y llwyfan penderfynwyd cael gwisgoedd iddynt fel na fai ddim gwahaniaeth rhwng y rhai a allai fforddio gwell gwisg na'i gilydd. Felly gofynnwyd i Mr. Williams, *Cambrian House*, anfon am bisin cyfan o fwslin gwyn, a digon o frêd aur a thalu am y defnydd gyda derbyniadau'r perfformiad. Ond sut i gael gwneud y gwisgoedd? 'Roedd y côr yn 40 o leiaf. Buasai'n gost fawr talu am gael gwneud y gwisgoedd. Yn y cyfwng, 'roedd merch hynaf Cerrig y Pryfaid yn digwydd bod gartref. Bu hi a'i brawd, R. O.

Williams, yn cadw busnes draperi yn Middlesborough. Bu farw R.O. yn ddyn ifanc ar ddechrau ei yrfa. Gwerthwyd y busnes a daeth Kate Williams gartref am dymor.

Teulu caredig iawn oedd teulu Cerrig y Pryfaid. Cawn groeso mawr pryd bynnag yr awn yno. Ym mharlwr Cerrig y Pryfaid y byddai'r Bwrdd Ysgol yn cyfarfod.

'Roedd Kate Williams yn eneth brydweddol a dymunol iawn ac yn gantores dda. Hefyd 'roedd ei chwaer ieuengaf, Anne Pugh, yn gantores fach dda ac yn cymeryd rhan bwysig yn y gantata. Ymgymerodd Miss Williams a rhoi help i mi yn y gwaith gan ei bod yn meddu ar fashin wnïo. Ond rhaid cyfaddef mai Miss Williams a wnaeth y rhan fwyaf o'r gwaith, gan nad oedd gennyf ond ychydig o hamdden rhwng gwaith yr ysgol, y tŷ a'r Côr. Syml iawn oedd y gwisgoedd ; ffril ar y godre, rownd y llewys a'r gwddw a brêd aur i'w haddurno. Edrychai'r plant yn hynod dlws yn eu gwisgoedd gwynion ar y llwyfan. "Sailor blouses" gwyn a wisgai'r bechgyn ac yr oedd gan y ddau fachgen fyddai'n coroni'r frenhines drowsus coch cwta. William y Pandy a Richard y Gyrn oedd y ddau. Gwnes flodau papur o bob lliw i addurno'r gwisgoedd. Ni allem fforddio prynu blodau siop. Rhaid oedd wrth orsedd i goroni'r frenhines. 'Roedd cadair freichiau a chefn uchel iddi yn y gegin yn nhŷ'r ysgol a honno fyddai'r orsedd. Trafeiliodd yr hen gadair gyda ni i bob man lle perfformiwyd y gantata. Byddai wedi ei gorchuddio â changhennau coed a blodau papur o bob lliw rhwng y dail. I helpu'r canu llwyddodd John i ymgynnull cerddorfa fechan, ond pur elfennol a chyffredin oedd. Owen Roberts, arweinydd y Band, yn chwarae'r cornet a rhaid dweud ei fod yn chwareuwr dan gamp. Y feiolin gyntaf oedd George Law. Gwyddel oedd George ; trwsio clociau a watses ar hyd y wlad y byddai ac wedi setlo yn y Garn, ers rhai blynyddoedd. 'Roedd yn meddu ar ffidil a gallai chwarae'n eithaf da. Ond darllenwr sâl oedd George ac nid oedd ganddo amgyffred am amseriad. Hugh a arferai chwarae'r ail feiolin, ond cyfaddefodd yn ddiweddar na fu erioed yn fistar ar y gwaith. William, fy mrawd, fyddai'n chwarae'r *cello* ac yr oedd yn chwarae'n wych. John wrth y piano a John Jones, Glandwyfach wrth yr harmoniwm. Cyfansoddodd John y gerddoriaeth i'r gwahanol offerynnau ei hun. Heblaw hyn, *Overture* i *Don Juan* yn agoriad i'r ail ran. Un ara deg iawn yn dysgu oedd George Law, ac os y collai ben y llinyn ar ganol y dernyn, nid oedd siawns iddo bigo i fyny. Dyna lle y byddai yn rhythu ar y copi a rhoi ambell wich ar y ffidil o hyn ymlaen. Ym mharlwr Tŷ'r Ysgol byddai y rihyrsal ar ôl practis y Côr. Un noson torrodd un llinyn o ffidil George wrth iddo diwnio, a phiciodd y llinyn i ben arall yr ystafell ac o'r golwg. Dyna lle 'roedd George ar ei grafangau ar lawr, fel rhyw lyffant mawr, yn chwilio am y llinyn. Daeth Owen Roberts, Caeramos i mewn : "Wyt ti wedi colli rhywbeth, George" ? "Ydw, achan", meddai George, "Wedi colli miloedd o notes".

Gweithient yn galed ar rai o'r darnau, tan tua un-ar-ddeg o'r gloch. Erbyn hynny byddwn innau wedi darparu swper i'r criw yn y gegin, a phawb mewn hwyl dda. Yn aml byddai'n hanner nos arnynt yn cychwyn am eu cartrefi—Owen Roberts i Gaeramos wrth ben Cwm Pennant ; George Law i Fryn Eithin yng ngodre Bwlch y Bedol, a John Jones i Landwyfach. Ac er fod ganddynt daith mor bell ar hyd hen lwybrau brwnt, nid wyf yn cofio iddynt golli yr un rihyrsal. Bu'r perfformiad yn llwyddiant mawr. Yr oedd y gerddorfa, er mor gartrefol, yn beth hollol newydd mewn ardal wledig fel y Garn. Er ein syndod, daeth gwahoddiad i'r côr fynd i Flaenau Ffestiniog *am wythnos* i roi perfformiad bob nos. 'Roedd yn gyfrifoldeb mawr mynd â deugain o blant, rhai ohonynt yn blant bach iawn. Ofnem y buasai rhai o'r rhieni'n anfodlon i'r plant fynd oddi cartref am wythnos gyfan ac at estroniaid. Ond, cyn belled ag y cofiaf, cafodd pob aelod o'r côr ddod. Bu'n rhaid cael cerbydau i gyrchu'r plant o'r Garn i Borthmadog, cerbydau hir a dau geffyl at bob cerbyd. Dywedodd Miss Jones, Bro Eifion, wrthyf

yn ddiweddar ei bod yn un o'r rhai ieuengaf yn y Côr a'i bod yn
cofio fod dreifar y cerbyd lle yr oedd hi mewn diod a chollodd
bob rheolaeth ar y ceffylau wrth fynd i lawr allt y Tŷ Newydd.
'Roedd y ceffylau'n carlamu i lawr yr allt, a'r cerbyd yn ysgwyd
o'r naill ochr i'r llall a'r plant yn gweiddi.   Ond cymerodd un
o'r dynion oedd yng ngofal y plant yr awenau oddi ar y dreifar a
chyrhaeddwyd y Port yn ddiogel.

A dyna drêt fawr i'r plant oedd mynd i Stiniog yn y trên bach.
Gresyn i ni golli'r trên bach heddiw.   Ni fyddwn byth yn blino
gwneud y daith.

Gresyn i'r lein gael ei chau.   'Roedd y daith i Ffestiniog o'r
Port yn un o'r golygfeydd mwyaf ardderchog yng Ngogledd
Cymru.   Cawsom groeso mawr gan bobl y Blaenau, teuluoedd
yn cymeryd dau neu dri o'r plant i'w lletya am yr wythnos yn
rhad ac am ddim ac yn gweld eu bod yn dod i'r Neuadd bob nos
mewn amser.   Dylaswn ddweud fod John yn teimlo na allai
drystio George Law i ganu'r ffidil yn y gerddorfa mewn lle fel
Ffestiniog, lle yr oedd cerddorion gwych.   Bu'n siomiant i
George.   Cafwyd Bennet Williams o Borthmadog yn ei le,
cerddor da ac yn chwareuwr campus ar y feiolin.   Yn yr hen
Neuadd yn Ffestiniog 'roedd grisiau o bob tu i'r llwyfan o'r
neuadd.   Ar ôl pob perfformiad deuai amryw gyfeillion i fyny,
y tu ôl i'r llen am sgwrs.   Cofiaf hefyd y byddai'r gynulleidfa yn
aros yn y Neuadd i sgwrsio cyn mynd allan.   Yn yr adeg y
soniaf amdani 'roedd dyn a arferai sgrifennu i'r papurau o dan
yr enw "Zabulon Dafydd".   Rhyw golofn ysgafn, ddoniol
fyddai ganddo, ac os clywai am eneth neu fachgen wedi gwneud
tro go ysmala, byddai'n siŵr o fod yn "Llais y Wlad" yr wythnos
wedyn.   Un noson, ar ôl y perfformiad, daeth i'r llwyfan, a
thu ôl i'r llen, ac eisteddodd ar yr orsedd.   Mewn direidi
cipiodd y ddau fachgen, a arferai goroni, y goron a'i gosod ar ei
ben.   Ac ar amrantiad cododd dau arall y llen, a dyna hwyl
fawr i'r gynulleidfa oedd gweld Zabulon Dafydd wedi ei goroni
a golwg ddoniol arno, gydag wyneb mawr fel lleuad.   Ond,

pan oedd pawb yn mwynhau'r hwyl rhedodd un o'r bechgyn bach lleiaf yn y côr ataf, heb ddim amdano ond crys bach cwta a gwasgod arno, a chan wylo'n hidil, "Lisi", meddai, " 'rydw 'i wedi colli fy nhrowsus" ! Gellir dychmygu fy nheimlad, o flaen y gynulleidfa, a bu'n hwyr glas gennyf redeg â Griffith druan i chwilio am y trowsus. Bu arnaf ofn gweld "Llais y Wlad" am beth amser, rhag fod Zabulon Dafydd wedi rhoi'r hanes yn y papur. Ond, chwarae teg iddo, ni wnaeth. Ar y ffordd yn ôl o'r Blaenau rhoddwyd perfformiad ym Mhorthmadog, a chyrraedd y Garn yn hwyr nos Sadwrn, a phawb wedi eu mwynhau eu hunain yn ardderchog ac wedi cael hwyl dda.

Ychydig o'r côr sy'n fyw heddiw, mi gredaf ; Miss Jones, Bro Eifion a W. O. Jones, Bryn Eifion, yn y Garn ; Richard Williams, y Gyrn, yn byw yn Reading ; ac o'r gerddorfa Hugh fy mrawd yn unig, a minnau fel arweinyddes y côr a'r hynaf ohonynt. Yn ddiweddar cefais lythyr oddi wrth Richard Williams, Reading (Richard y Gyrn), yn fy nghyfarch fel "Lisi'r Ysgol, Brenhines y Blodau". 'Roedd y teitl yn swnio yn rhyfedd i mi ar ôl cyfnod mor faith.

OFNAF fy mod wedi rhoi argraff nad oedd John yn cymeryd diddordeb mewn dim ond cerddoriaeth. Camgymeriad o'r mwyaf fuasai hynny. Cymerai ddiddordeb neilltuol yn yr Ysgol Sul, a bu'n gynrychiolydd i'r cyfarfodydd ysgolion am flynyddoedd. Ef fu'n foddion i gychwyn mudiad y safonau yn nosbarth Llŷn ac Eifionydd. Cafodd gryn anhawster i gael ysgolion y Dosbarth i fabwysiadu'r drefn newydd. Haerai rhai ei fod yn debyg o ddod â'r Ysgol Sul i'r un tir a'r Ysgol ddyddiol. Bu'r Parch. David E. Davies, Pwllheli yn arholwr y Cyfarfodydd Ysgolion yn Llŷn ac Eifionydd am rai blynyddoedd, a chredaf ei fod yn arholwr gwych. 'Roedd yn meddu dawn arbennig i dynnu'r aelodau i ateb a dadlau ar bynciau dyrys, a byddai'r Cyfarfod Ysgol yn werth ei fynychu. 'Roedd John a D. E. Davies yn gyfeillion mawr. Os byddai yn pregethu neu'n arholi yn rhywle yn y cyffiniau, deuai atom i dŷ'r ysgol i aros, ac yr oedd yn un diddan iawn ei gwmpeini. Mae yn fy meddiant amryw "carbon copies" o lythyrau oddi wrth John at D. E. Davies, a phob un yn trafod yr Ysgol Sul, y Safonau a'r Cyfarfodydd Ysgolion a dim arall. Mae rhai ohonynt yn ddiddorol dros ben. Rhoddaf rai enghreifftiau.

Annwyl Gyfaill,

Wele isod restr o'r Emynau a ddewiswyd ar gyfer y Gymanfa. Aethom i drafferth i ddewis y rhai a ystyriem yn fwyaf tebyg o fod yn briodol i'r amgylchiad.

Y mae y rhan fwyaf o'r geiriau wedi eu cymeryd o'r "Salmydd Cymreig". Ac y mae amryw o'r tonau yn hen ond wedi bod yn hynod boblogaidd yn yr Ysgol Sul. Gan fod y Gymanfa yn un neilltuol, dymunwn awgrymu ar fod y tonau a'r geiriau yn cael eu hargraphu. Ni bydd y gost yn fawr, a gellir yn hawdd ei chlirio trwy werthu y llyfrynau.

1. Am yr Ysgol Rad Sabothol 519.
2. Diolch am yr Efengyl 793.
3. Plant ydynt Etifeddiaeth Ior 833.
4. Emyn 796 Ton Rhad Ras.
5. "773" Missionary
6. O hyn fydd yn hyfryd 836.
7. Babel Gwympa
   Cadben Mawr, etc. } Mendelsohn.
8. Dros y Bryniau, Hen don

Yn ychwanegol at yr uchod gellir cymeryd anthem Yr Ysgol Sabothol naill ai yr un gyfansoddwyd gan Jenkins neu Dr. Parry.

Os dewisir fi i arwain y canu dymunaf yn ostynedig hysbysu nad ydwyf yn teimlo fy hunan yn alluog i sicrhau canu teilwng heb gael cynymarferiad (rehearsals) mewn rhai os nad yr oll o'r ysgolion.

Ydwyf,

J. Ll. WILLIAMS,

Garn.

Anwyl Gyfaill,

Aeth pob peth ynglyn a'r Gymanfa drosodd yn llwyddianus iawn. Gwnaed y trefniadau ynglyn a'r bwyd gan Ysgol Sul y Garn—y bwyd wedi ei baratoi yn yr ysgol ddyddiol. Penodwyd tri o frodyr i brynu'r bwyd ar gyfer y rhif a ddisgwylid.

Yr oedd chwech o'r ysgolion mwyaf yn anfon dwy chwaer o bob ysgol i helpu gyda'r bwyd, a phob un i ofalu am lieiniau bwrdd, cyllill a ffyrc a llwyau.

Ganol dydd 'roedd cinio wedi ei ddarparu ar gyfer y cynrychiolwyr ac eisteddodd 52 i ginio, a 350 i de, a'r holl gostau yn naw ceiniog yn fyr o £5. Talwyd y gost yr un diwrnod gyda chasgliadau gan y cynrychiolwyr o'r gwahanol ysgolion.

Yr eiddoch yn gywir, J.Ll.W.

Anwyl Gyfaill,

Y mae hanes pob ysgol yn y Dosbarth wedi ei ysgrifennu, ac yn awr mae'r MSS yn llaw y Parch. H. Hughes yn cael ei adolygu a'i helaethu.

G

Disgwylir y bydd yn barod i'r wasg ddechreu'r mis nesaf a bwriedir ei argraphu os ceir digon o enwau derbynwyr iddo.

Y mae ymdrech mawr wedi cael ei wneud yn ddiweddar i wella'r dull o gyfranu addysg yn y dosbarthiadau isaf—dosbarthiadau'r wyddor a sillebu. Erbyn hyn y mae'r ysgolion goreu yn y Dosbarth wedi mabwysiadu'r cynllun o ddysgu'r plant gyda'i gilydd, trwy gyfrwng tafleni mawrion, ac mae'r cynllun wedi bod yn hynod lwyddianus, nid yn unig i ddysgu'r plant yn fwy effeithiol ond hefyd i roddi mwy o ddiddordeb i'r disgyblion yn ngwaith yr ysgol, a thrwy hynny i beri iddynt ddod i'r ysgol yn fwy cyson.

Y mae naw o ysgolion y Dosbarth yn gweithio wrth y Safonau a fabwysiadwyd yma, ac y mae dros 400 o Dystysgrifau wedi eu rhannu. Dewisir meusydd llafur bob blwyddyn ar gyfer ein Cymanfa flynyddol. Nid oes dim wedi ei benderfynu eto gyda golwg ar newid cynlluniau'r Cyfarfod Ysgol am rai'r Cyfarfod Misol. Deallaf fod newid y Cynllun Safonol wedi bod dan sylw rywbryd yn ystod y flwyddyn ddiweddaf, ond, gwrthodwyd y cynigiad i wneud hynny.

Daeth y copiau argraphedig o'r cynllun i'm llaw ychydig cyn yr amser penodedig i'w rhoi mewn gweithrediad ac nid oedd Cyfarfod Ysgol yn digwydd hyd ar ol yr amser hwnnw. Yn y Cyfarfod Ysgol cyntaf ar ol derbyn eich cynllun, dygwyd y peth i ystyriaeth y cynrychiolwyr, a gofynnwyd iddynt roddi'r peth o flaen eu hysgolion.

Yr eiddoch,
J.Ll.W.

Anwyl Gyfaill,

Y mae tri o bethau y dymunwn alw sylw atynt.

1. O berthynas i'r safonau, yr ydym yn teimlo fod y mwyafrif o athrawon mor analluog i wneud cyfiawnder a hwy fel mae y cynllun a fabwysiadwyd i'w rhoddi mewn gweithrediad ydyw—nid eu gwthio yn orfodol ar yr ysgolion—ond annog yr arolygwyr a'r athrawon i'w treio, a'u rhoi mewn gweithrediad yn raddol. Y canlyniad yw, fod nifer y rhai sydd yn ymwneud a'r cynllun yn cynyddu bob blwyddyn a hynny mewn modd iachus a naturiol. Credwn hefyd fod llawer llai o wrthwynebiad i'r cynllun yn y dull hwn, na phe ceisid ei wthio ar unwaith ar yr ysgolion.

2. Fel yr awgrymais eisoes, y prif anhawster yr ydym yn ei gael yn awr ydyw diffyg athrawon cymhwys. Yr ydym yn y

dosbarth hwn wedi gwneud ein goreu i gyfarfod a'r diffyg hwn trwy gynal cyfarfodydd i ymddiddan ar waith athraw yn yr Ysgol Sul, a thrwy roddi pobl ieuanc selog a gweithgar, yn neilltuol rhai cyfarwydd a gwaith yr ysgolion dyddiol, os gellid eu cael, i ddysgu dosbarthiadau y plant. Er ein hymdrechion, y mae y diffyg yma yn y cyfeiriad hwn yn fawr dros ben, a'm barn gydwybodol i ydyw mai mwy o ddrwg na lles a fyddai ymddiried y Safonau i dyner drugaredd athrawon disel a diamcan. Carwn yn fawr glywed eich syniadau ar y pen hwn.

3. Yn y Dosbarth hwn nid oes yn agos ddigon o sylw yn cael ei roddi i gyfrannu gwybodaeth hanesyddol yn y dosbarthiadau isaf, ac y mae'r dull y ceisir gwneud hyn yn aml yn sychlyd, fel ag y mae yn lle creu hoffder at hanesion y Beibl, yn cynyrchu atgasedd tuag atynt.

Mewn rhai o ysgolion y mae ymdrechion egniol yn cael eu gwneud i ddiwygio hyn. A defnyddir amryw gynlluniau i'r diben hwn, megis dweud yr hanes mewn iaith syml a diddorol ; dweud yr hanes heb yr enwau, a cheisio cael y disgyblion chwilio am enwau y personau a'r lleoedd erbyn y Sabath canlynol ; gwneud i'r plant adrodd yr hanesion yn eu geiriau eu hunain.

Yr eiddoch yn gywir iawn,
J.Ll.W.

Mae'n amlwg oddi wrth y llu llythyrau at y Parch. D. E. Davies fod cryn helynt wedi bod ymysg ysgolion y Dosbarth, oherwydd ymyriad y Cyfarfod Misol, ac y mae'n amlwg mai amcan John yn y llythyr a ganlyn yw ceisio egluro'r sefyllfa a'r teimlad yn y Dosbarth. Yn Saesneg y mae'r ddau lythyr diwethaf.

Dear Friend,

I feel very reluctant to tell you the reason for the opposition to the scheme of the Cyfarfod Misol, but I think it only right to do so, in order that you may understand the position of the Dosbarth better. I must tell you first that though I myself was one of the principal opponents of the first scheme, I have advocated the present one as I think it better than ours. But, there are two great reasons brought by some of our people against changing our scheme

1. There is a great deal of kicking against what is called the "Dictation of the Preachers". The reason is that we have found them with *very very* few exceptions, utterly unwilling to do anything in connection with the Sunday School without liberal pay. The consequence is that people here feel a repugnance to allowing them to make laws for them, who will not help them to carry them out.

2. The second reason is, that there seems to be a great deal of confusion as to the constitution of the Sunday School and the Cyfarfod Misol. It is claimed by those who advance this reason, that rules for the Sunday Schools of Lleyn and Eifionydd ought to have been drawn out by a conference of Sunday School Teachers and Delegates, and not by Preachers who have forgotten what the Sunday School is like and wont help her without pay. It is asserted openly by the people, who bring the above argument forward, that there are no such practical enthusiasts as yourself in the Cyfarfod Misol and that if there were, they would be willing to be led by them.

I give you the above as specimens of the kind of opposition to be found here.

I will let you know the result of the next Cyfarfod Ysgol.

Sincerely Yours, J.Ll.W.

Dear Friend,

I had your p.c. this morning and I feel you have cause for complaint. I am sorry, for I have a genuine love of the Sunday School and I thoroughly appreciate your unselfish labour in its behalf. At the same time I would not have put myself out of the way for anyone in connection with the Cyfarfod Misol but you, for I really have no love towards these preachers, who are so much more liberal of advice than assistance, and besides, I fail to see what are the functions of the Cyfarfod Ysgol if the Cyfarfod Misol is going to do its work. It seems to me farcical for a Cyfarfod Ysgol to labour zealously with the Sunday School, drawing out plans, putting them into operation at great expense of printing certificates, tafleni and reports, and then for the Cyfarfod Misol to step in and *command* us to substitute its scheme at a fortnight's notice without allowing even the formality of obtaining the sanction of the schools concerned to the change.

I wish you all success in your labours with the Sunday Schools and I wish you could imbue all our preachers with your spirit and your zeal. Excuse the offensiveness of my remarks if you can.

Yours sincerely, J.Ll.W.

HEN gymeriad y dymunwn alw sylw ato yw Dafydd Thomas, Llystyn Canol Bach. Hen frawd didwyll, difalais oedd Dafydd Thomas, a phawb yn hoff ohono. Deuai i Ben-y-bont yn aml i helpu cario blawd o'r orsaf adeg y cynhaeaf gwair. 'Doedd neb tebyg, yn ei feddwl ef, i Owen a Margiad Williams. 'Roedd Robert, mab Owen Williams, gartref ar y pryd yn 18 oed. Un direidus iawn oedd "Bob Siop" a chwareuai lawer tric â Dafydd Tomos. Er hynny 'roedd yr hen frawd yn hanner addoli Bob. Pwy bynnag wnâi ryw gast â Dafydd Bob Siop a gai'r bai. Os byddai wedi nosi cyn i Dafydd Tomos gychwyn gartref âi Bob i'w ddanfon gyda channwyll lantern, gan fod hen lwybrau gwlyb a brwnt ar draws y ffriddoedd. Prin y gwelid y llwybr wrth olau dydd, heb sôn am fynd ar-hyd-ddo yn y tywyllwch. Hoffai Bob roi'r lantern o dan ei gôt a chuddio y tu ôl i'r wal er mwyn cael hwyl am ben yr hen frawd yn gweiddi, "Lle'r wyt ti Bob"? Un gyda'r nos aeth Bob i Lystyn Canol Bach i chwilio am Ddafydd Tomos. Nid oedd neb yn y gegin, ond yn amlwg, nid oeddynt ymhell gan fod y drws yn agored a'r crochan uwd yn ffrwtian uwch ben y tân. Cododd Bob y crochan i ben y bwrdd mawr a rhoes ddyrnaid o "fotymau gwyn" (peppermints) o'i boced yn yr uwd, ac allan ag ef. Gwyddai'r hen Ddafydd yn union mai Bob fu yno. Gwisgai Dafydd Tomos gap llwyd a dwy res o frêd coch arno. Rhan o iwnifform y Band oedd y cap, ac yr oedd yn meddwl y byd ohono. Bu yn ddrymer yn y Band pan oedd dipyn ieu-engach a chafodd ganiatâd gan y Band i gadw'r iwnifform a'r drwm. Drwm lled fychan oedd ganddo. (Chwareuwyd y drwm mawr gan J. Morris). Câi chwarae'r drwm mewn cyngerdd neu orymdaith ond os byddid yn mynd i gystadleuaeth rhaid fyddai iddo aros gartref. Nid oedd ganddo fawr syniad am amseriad ac ni wyddai yn iawn pa bryd i daro'r drwm. 'Roedd

yn ddiddorol iawn ei weld.   Safai'n syth, gan daflu ei ben yn ôl
a phob cymal iddo ar waith, a gwên o glust i glust ar ei wyneb.
Edrychai pawb ymlaen at weld y giamocs a wnâi â'r ffyn, fel
"drum major" yn gywir, ac ambell gnoc ar y drwm.

Dyma stori W.H. amdano pan oedd W.H. yn orsaf feistr ym
Mryncir.   Un diwrnod tesog ym mis Awst safai Dafydd
Tomos ar y platfform.   Disgynnodd aderyn yn farw ar ôl taro
gwifrau'r telegraff.   Cododd W.H. yr aderyn a'i roi ym mhoced
yr hen frawd yn slei.   Ymhen dyddiau daeth Dafydd Tomos i'r
offis.   Teimlodd W.H. fod arogl ffiaidd arno.   Gofynnodd
iddo : "Be ydi'r matar arnoch, Dafydd Tomos, rydach chi'n
ogleuo braidd".   'Roedd gan Dafydd Tomos dipyn o dafod
tew.   "Wel oes, Willias bach, a dwn i ddim be gythral sy
arna i, 'rydwi'n drewi fel ffwlbart, a 'châi ddim mynd yn agos i'r
tŷ gan Elin acw".   Cofiodd W.H. yn syth am yr aderyn, a
gofynnodd, "Ydach chi'n siŵr nad oes gennych rywbeth yn
eich poced" ?   Rhoes Dafydd ei law yn ei boced a thynnodd
allan yr aderyn yn gynrhon byw erbyn hyn, a meddai, "Bob
Siop, myn coblyn, mi hannar laddai o pan gai afael arno".

'Roedd cymeriad diddorol iawn arall yn ardal Bryncir pan
aethom i'r Garn, dyn o'r enw George Manly.   Tarddai o
deulu urddasol, ond iddo fod yn anffodus trwy golli miloedd o
arian yn y *mines.*   Gallwn feddwl fod Manly tua'r 60 oed ;
wedi bod yn ddyn pur ofer ac wedi gwario llawer ar y ddiod
feddwol, ond, pan euthum i'r Garn 'roedd yn llwyr ymwrthodwr
er ei fod yn lletya mewn tafarn.   Hen lanc oedd Manly.
Synnais ei weld y tro cyntaf, gyda'i wisg glytiog, a'r clytiau o bob
lliw a llun wedi ei gwnïo ganddo ef ei hun.   Gellir meddwl
gwrthrych mor ryfedd oedd.   Prin y gellid dweud beth oedd y
defnydd gwreiddiol.   Er hynny 'roedd yn foneddwr yng ngwir
ystyr y gair, a chanddo galon fawr garedig.   Dyma nodiadau ar
Manly a gefais ymhlith papurau fy ngŵr, W.H. : "Eglwyswr
oedd o ran ei ddaliadau crefyddol er nad âi byth ar gyfyl unrhyw
eglwys.   Yn boliticaidd Tori rhonc oedd.   Ni ddichon dim

da ddod o'r "Radicals" na'r Rhyddfrydwyr. Y Toriaid gadwant y wladwriaeth i fyny. Y Toriaid yn adeiladu, a'r "Radicals" yn chwalu, yn ei farn ef ".

Yr oedd dreifar ar y *Goods Train* fyddai'n dod heibio'n ddyddiol. Radical i'r carn oedd, o'r enw James McKay. Arferai Manly gyfarfod y trên bob dydd ac yna dadleuant yn selog. Pan fyddai Manly yn lled golli'r dydd symudai ei safle'n ddeheuig, yna gwaeddai McKay, "Stick to the subject man, you are like a dog in a fair". Ac ai'n ffrae wyllt rhwng y ddau. Ond byddai Manly ar y platfform yn selog yn disgwyl y trên nesaf, yn barod am ddadl. Deuai Manly i'r offis bob boreu ar ôl y trên naw a'r *Times* ganddo. Eisteddai ar y gadair o flaen y tân a darllenai'r *Times* yn uchel, tra y gweithiwn innau ar y llyfrau. Gan fod tair gorsaf o dan fy ngofal, Pant Glas, Bryncir a'r Ynys, byddwn yn brysur iawn ddiwedd y mis. A phan ddeuai Manly i'r offis yn ôl ei arfer, rhoddwn glo ar y drws a'r agoriad yn fy mhoced, a rhown waith iddo i atodi'r ffigyrau. Dechreuai ar unwaith. Byddai yn bur araf ond ni welais ef erioed yn gwneud camgymeriad yn y ffigyrau".

John Griffiths oedd y plisman pan aethom i'r Garn. Gan mai yn Nolbenmaen 'roedd yn byw ychydig a welai trigolion y Garn arno. Yn ôl a glywais amdano, plisman diddrwg-didda oedd. Ni wnâi ddrwg i neb os gallai osgoi. Nid oedd "Cipar yr afon" y pryd hynny. Un o ddyletswyddau'r plisman oedd cadw golwg ar y potsiars. Dwedid amdano, os câi ar ddeall yn slei fod y "boys" yn mynd i ffaglu'r afon ryw noson, âi i'w wely a chysgai'n dawel. Felly ni fyddai wedi gweld y ffaglu ! Ac os digwyddai'r "boys" fod yn lwcus, câi samon bach wedi ei roi dros y wal erbyn y bore ! Pan ymddeolodd cafodd waith repario tua'r Ysgol gan y Bwrdd. Broliwr mawr oedd John Griffiths ac fel pob broliwr, tyfai'r stori wrth ei hail-adrodd. Yr oedd fel "Iagoo the Great Boaster" yn "Hiawatha". Pan weithiai tua'r Ysgol gofynnwn iddo ddod i'r tŷ i gael te er mwyn ei glywed yn brolio. Broliai am ffarm

mor fawr oedd ei gartref : "Wyddoch chi, yn y ffermydd mwya
y ffordd yma, rhyw bum diwrnod fydd y Dyrnwr Mawr yno.
Ond, yn fy nghartre i yn Sir Fôn byddai'r dyrnwr yno am dair
wythnos. Bobol annwyl ! mi fyddai'r das fel castell mawr.
Un dechrau'r flwyddyn, pan oedd y gweision yn torri'r das,
beth ddyliech chi ddaethon' nhw ar ei draws, ond un o'r ceffylau
wedi ei gladdu'n ddamweiniol amser cynhaeaf y flwyddyn
cynt. 'Roedd y ceffyl wedi bwyta lle mawr yng nghanol y das
ac yn edrych yn dew nobl, a chymaint o geffylau oedd ar y
ffarm fel nad oedd neb wedi gweld ei golli". Clywais y stori
laweroedd o weithiau. Ofnaf y byddai'r bechgyn a minnau'n
tynnu arno er mwyn clywed faint mwy oedd y ffarm wedi tyfu
erbyn hynny. Wedi iddo ymddeol aeth Robert Jones yn
blisman, a chan fod y teulu'n byw yn y Garn 'roeddem yn
gweld mwy ar y plisman newydd. Credaf fod Robert Jones
yn cario allan ei ddyletswyddau er bodlonrwydd i bawb. Nid
oedd ganddo fawr o "sense of humour" ond gwnâi ei wraig
i fyny am y diffyg. Un llawn bywyd a hwyl oedd Mrs. Jones a
phawb yn ei hoffi. 'Roedd y ddau yn aelodau selog yn y Capel
Isa ac yn ffyddlon i'r Ysgol Sul. Byddai Mrs. Jones yn barod ei
chymwynas i bawb ac i bob achos da yn yr ardal. 'Roedd gan
fy Nhad ddosbarth mawr—y "Class mawr", yn yr Ysgol Sul,
ac yr oedd Robert Jones yn un o'i ddisgyblion mwyaf selog.
'Roedd ef a Nhad yn gryn gyfeillion. Clywais Nhad yn
adrodd amdano, ei fod un tro yn cwyno nad oedd yn teimlo'n
dda. Rhoddodd cyfaill gyngor iddo, ac awgrymodd mai
"Iron Tonic" oedd arno eisiau. Aeth yr hen blisman i'r efail
a gofyn i Robert Jones y gof am dipyn o lwch haearn. Aeth
gartref gyda'r llwch haearn, rhoddodd ddŵr arno a gadael iddo
sefyll tipyn a chymerai ddrachtiad yn awr ac yn y man. Ac yn
wir, yn teimlo'n well o lawer ! Beth bynnag am y lles, ni
wnaeth ddim drwg iddo. Cafodd fyw i ymddeol yn y Garn.
Y mae stori dda am Robert Jones yn y IV gyfrol o *Atgofion J.
Lloyd Williams*, pennod XXVI, tud. 265.

Yʀ amser prysuraf i siopau draper y Garn fyddai adeg Pen
Tymor. Deuai gweision a morwynion ffermydd i brynu
dillad newydd at y tymor nesaf. Gwnâi Siop Brymer a'r
Cambrian fusnes da yng nghorff wythnos Pen Tymor. Deuai
un o ferched Brymer i lawr o'r Blaenau i helpu trimio hetiau a
dewis siwtiau newydd. Cofiaf fel y byddai'r stryd o'r Capel
Ucha at y Cambrian fel promenâd—yn llawn o fechgyn a
genethod gweini. Dyma'r unig wyliau a gaent, yr ychydig
ddyddiau Pen-Tymor. Nid gwyliau y galwant yr ychydig
ddyddiau o seibiant—ond "Pen-Tymor". "Mae Jane yn
cael 'Pen-Tymor'," a ddywedid. Caent ambell ddarn diwrnod
i fynd i'r ffair. Yn y ffeiriau y byddai rhai o'r merched a'r
bechgyn yn cyflogi at y tymor nesaf, os byddent yn newid eu lle.
Cynhelid ffair gyflogi ym Mhen Morfa. Safai rhes o fechgyn
a genethod o bobtu'r ffordd yn disgwyl cael eu cyflogi. Os
byddent yn ddigon lwcus i gael ffafr yng ngolwg y ffarmwr neu'r
wraig, derbynient swllt o ernes. 'Roedd derbyn y swllt cystal
â phapur twrna, ond 'roedd rhyddid iddynt anfon yr ernes yn ôl
os byddent am dynnu'n ôl. Nid oedd llawer o gyfleusterau i
ferched o amgylchiadau cyffredin heblaw gweini a hynny am
gyflog difrifol o isel, a bwyd caled, yn enwedig felly yn y
ffermydd. Brwas bara ceirch a gâi'r dynion i frecwast; tatws
drwy'r crwyn a chig hallt neu facwn bras wedi ei ferwi i ginio,
uwd i swper a bara haidd. Mewn rhai ffermydd ceid bara
gwyn i de ddydd Sul. Daw i'm cof y penillion adnabyddus i'r
teiliwr :

> "Caed lwmp o facwn melyn bras
> I mi a'r gwas a'r dyrnwr.
> Ond wyau a phys gleision neis
> A phwdin reis i'r teiliwr."

Gwnâi pob ffarm fenyn pot.   Pan fyddai llawnder o fenyn yn yr haf, a'r pris yn isel (8d.—9d. y pwys) dechreuai'r ffermwyr botio'r menyn erbyn y gaeaf, pan âi'r menyn ffres yn brin. Cadwai Owen Williams, Pen-y-bont, stoc o botiau pridd erbyn adeg potio menyn a gwnâi aml chwarelwr bres poced drwy wneud llechi crwn i roi ar dop y potiau.   Credaf mai llawnder menyn o Denmarc, New Zealand a'r gwledydd eraill a roes derfyn i raddau ar y potio.   Ac yn ddiweddarach wrth gwrs, anfon y llaeth i gyd i'r ffatri.

Yn y cyfnod hwn yr oedd mynd da ar y ffatri wlân yn y Garn. William Williams oedd y ffatrïwr.   Cadwai amryw ddynion a digon o waith iddynt.   Plancedi, gwlanenni ac edafedd at wau hosanau a wneid gan mwyaf yn y ffatri.   Gwerthai William Williams lawer iawn o wlanen at wneud crysau dynion.   Dyna a wisgai'r gweithwyr ymhob ardal wledig.   Nid oedd gwisgo allan ar y wlanen gartref o'r ffatri.   Byddai llawer o brynu ar edafedd a byddai llawer hen wraig yn gallu ennill ychydig sylltau wrth wau a throedio sanau.   Cofiaf i mi gael anrheg gan un hen wraig, pâr o sanau gwlan du a phatrwm lliw melyn wedi ei wau i'r du (megis yr hyn a elwir heddiw yn batrwm *Fair Isle*).

Nid oedd y fath beth yn bod â sinema, bws, na *motor car*. Dim Radio, na neb yn breuddwydio y deuai y fath bethau i fod. Felly, rhaid oedd i bobl mewn ardaloedd gwledig greu eu hadloniant.   Eto nid oeddem yn teimlo ar ein colled.   Byddem yn berffaith hapus ac yn llawn gwaith bob amser.

Adeg y gwyliau deuai'r Brymers i lawr o Ffestiniog a chaem hwyl fawr tra fyddent gartref, a'r tad a'r fam yn mwynhau'r hwyl fel plant.   Un Nadolig yr oedd y teulu i gyd yn gryno yn Siop Brymer, a dau o gyfeillion yn ogystal.   'Roeddent wedi trefnu dod i lawr i dŷ'r ysgol ar ôl swper nos Nadolig, a W.H. yn dod o Fryncir. Felly 'roedd y criw yn bur fawr. Gwnaethom glamp o dân yn ystafell y babanod yn gynnar gyda'r nos er mwyn cael digon o le.   'Roedd ysgol y babanod y tu ôl i'r ysgol fawr ac yn wynebu ffridd Ifan Griffith, fel na chlywai ac na welai neb ddim a âi ymlaen. Cawsom ganu i ddechrau, caneuon oedd yn boblogaidd iawn ar y pryd, megis "Poor Old Joe", "Swanee River" ac eraill. Sylwer mai Saesneg oedd y canu. Mae llawer mwy o ganu Cymraeg heddiw nag a fu yn y cyfnod hwn. Ar ôl canu, cawsom gêms—"Changing Stations" ac eraill ac i roi terfyn ar y parti, cawsom "fwgwd yr ieir". Ar un ochr yn ystafell y babanod yr oedd galeri a desgiau a phartisiwn rhyngddynt, a hwnnw yn dod allan tua dwy lath i'r llawr. Yn y man daeth tro W.H. i gael y mwgwd ar ei lygaid. Penderfynodd nad oedd am redeg o gwmpas yn ormodol. Meddyliodd glywed dwy o'r merched yn sisial o'i flaen. Gwnaeth un naid amdanynt, 'llasa fe, ond yn lle hynny aeth ei wyneb yn fflat yn erbyn y partisiwn a disgynodd W.H. i lawr fel darn o bren yn hollol ddiymadferth. Fel y gellid meddwl 'roedd pawb wedi dychryn yn enbyd ac wedi mynd yn bur swat. Pan ddaeth W.H. ato ei hun aed ac ef i'r tŷ ac i orwedd ar y soffa o flaen y tân.

Aeth y cwmni adre'n swta a diwedd braidd yn brudd fu i'r noson wedi dechrau mor hwyliog. Bu John a minnau ar ein traed gyda W.H. drwy'r nos. 'Roedd wedi bwrw eira a hwnnw wedi rhewi'n galed. Yn anffodus 'roedd yn ofynnol i W.H. fynd i lawr i Fryncir i gyfarfod y *mail* am chwech o'r gloch y bore, i roi'r staff i'r dreifar. Aeth John i'w ddanfon i Fryncir ac erbyn hyn 'roedd golwg mawr ar wyneb W.H. Y broblem fawr oedd sut i egluro'r ddamwain. Nid oeddem yn awyddus i awdurdodau'r bwrdd ysgol wybod ein bod wedi defnyddio'r ysgol heb ganiatâd.

Aeth y *mail* heibio heb i neb sylwi fod dim o'i le. 'Roedd yn dywyll a W.H. wedi codi colar ei got dros ei wyneb, a'i gap dros ei lygaid a dim gair wrth y dreifar ond estyn y staff iddo. Ond, rhaid oedd wynebu'r trên naw, ac erbyn hyn 'roedd ei drwyn wedi chwyddo'n fawr a'i ddau lygaid bron ynghau a'i wyneb yn bob lliw, du, melyn a gwyrdd. Pan ddaeth y trên i mewn gofynnodd yr hen frawd oedd yn giard,

"What has happened to your face, Mr. Williams" ?

"What has happened" ? meddai W.H. "Can't you see ? Who left that carriage door open on the early train this morning ?"

"Good God ! is that what happened ?"

Ni ddwedodd W.H. ddim ond troi ar ei sawdl. Bu i W.H. egluro i gynifer o'r trigolion sut y digwyddodd y ddamwain—slap gan ddrws agored tren y *mail* yn y tywyllwch—fel y daeth bron i gredu ei hunan mai dyna a ddigwyddodd ! Ac ni wyddai neb sut y bu ond y cwmni oedd yn bresennol ar y pryd. Ysywaeth, bu trwyn W.H. yn gam am ei oes ar ôl y gnoc, ac nid anghofiaf byth y chwarae diniwed yn ysgol babanod y Garn.

Ac yn awr, wele fi wedi cyrraedd yr ail "garreg filltir" bwysig yn fy hanes—pan briodais yn 20 oed. Teimlwn braidd yn euog o fod y cyntaf i adael y teulu, ond 'roedd W.H. wedi disgwyl amdanaf yn amyneddgar am bedair blynedd. Bu trigolion y Garn yn hynod garedig wrthyf yn yr amgylchiad. Nid oedd trwydded i briodi gan y Capel Isa'r pryd hynny. Felly, i Gapel Bethel, dair milltir o'r Garn, y bu rhaid mynd. 'Roedd pawb yn amlwg wedi penderfynu rhoi "send off" iawn i mi. Bu'r dynion yn brysur y dydd o flaen y briodas yn codi dwy bont wedi eu haddurno â changau coed a baneri. O flaen Tŷ'r Ysgol safai rhes o ferched â reis yn eu ffedogau, a phob tro y deuai W.H. i'r golwg câi ddyrnaid o reis i'w wyneb, ac un hen wraig yn gweiddi, "Dyna iti beth sy i'w gael am fynd â hi oddiyma".

Hwyrach y bydd o ddiddordeb gweld disgrifiad o'm siwt briodas. Erbyn heddiw mae priodas wen yn gyffredin, ond yn fy amser i nid oedd priodas wen ond i'r "bobol fawr". Cymerem i ystyriaeth beth fase yn fuddiol i'w wisgo ar ôl y briodas. A dyma fy siwt. Gown o felfed piws, sgert a bodis ar wahân yn ôl ffasiwn yr adeg. 'Roedd y bodis o'r defnydd a elwid yn "brocaded velvet", yn bîg y tu ôl a'r tu blaen ac yn cau yn dynn i fyny at y gwddf a rhes o fotymau dur gloyw. Llewys tynn at y garddwn llydan ac wedi eu leinio â sidan gwyn. Anodd yw disgrifio'r sgert. Felfet plaen oedd y defnydd ond nid plaen oedd y sgert. Yr oedd ynddi lathenni lawer o'r defnydd, a'r cyfan dan sang o ffriliau a ffyffiau (*frills* a *puffs*). Nid oedd yn weddus i mi wisgo het, er fy mod mor ifanc. 'Roedd yn ofynnol gwisgo bonet. Bonet o *brocaded velvet* oedd fy monet i, wedi ei gorchuddio â thiwl gwyn a rhes o flodau gwyn ar hyd y ffrynt, a rhubanau o'r tiwl gwyn yn cau ar fy ysgwyddau. Gwisgwn hefyd fath o gêp o *Brussels net* gwyn. Ystyrrid y siwt yn un wych dros ben.

Nid oedd yn weddus, chwaith, i wraig briod fynychu moddion y Sul ond mewn bonet, a'm gorchwyl cyntaf ar ôl dychwelyd o'r mis mêl oedd tynnu'r tiwl gwyn oddi ar y fonet a rhoi rhubanau sidan llydan i glymu tan yr ên a'i gwneud yn ddigon parchus i wisgo i fynd i'r moddion. Meddylier am eneth 20 oed yn gwisgo bonet! Cofiaf yn dda fy hun yn mynd i gapel y Gaerwen am y tro cyntaf ac yn gwisgo'r fonet.

Rhedodd amryw o fechgyn bach fy nosbarth bob cam i Bethel y tu ôl i'r cerbydau i weld "Lisi'r ysgol" yn priodi. Teimlodd rhai o gyfeillion Dolbenmaen y dylent hwythau gael gwneud eu rhan. Penderfynodd John Griffiths y cyn-blisman a Mr. Lewis y Person, fynd i fyny'r Gyrn i saethu. Yr oedd y saethu i gymeryd lle pan welid y cerbydau yn dychwelyd o Bethel. Ni wn faint o brofiad oedd gan John Griffiths o saethu mewn craig, ond credaf yn sicr na welodd Mr. Lewis erioed y dull yna o saethu o'r blaen. Bu'r fentar agos â throi yn drychineb iddo. Yn anffodus ffrwydrodd yr ergyd i wyneb Mr. Lewis a bu'n agos iddo golli ei olwg. Dioddefodd am wythnosau oherwydd y ddamwain. Cofiaf inni'n dau fynd i'r Persondy i edrych amdano, ac yn wir 'roedd golwg mawr ar ei wyneb. Teimlwn yn euog, gan na allwn anghofio mai achos y ddamwain oedd ei awydd i ddangos ei ewyllys da.

A dyma fi, yn gadael i wneud fy nghartref yn y Gaerwen, Môn. Treuliais y chwe blynedd cyntaf o'm bywyd priodasol yn y Gaerwen. Rhywfodd neu gilydd ni lwyddais i deimlo'n gartrefol yno. 'Roedd bywyd yr ardal yn bur wahanol i'r hyn 'roeddwn wedi arfer ag ef yn y Garn. Yn un peth yr oeddem yn y Garn yn deulu o chwech a phob amser yn llawn gwaith diddorol, 'prun ai paratoi am egsam ynteu at gyngerdd. Bywyd prysur a hapus iawn oedd ein bywyd yn y Garn.

Er fy mod wedi hen arfer cadw tŷ, fy anhawster mawr ar ôl priodi oedd paratoi i ddau yn unig, a minnau wedi arfer paratoi

i chwech, a phump ohonynt yn ddynion.   Bûm dipyn o amser
yn dysgu paratoi i ddau yn lle torri plateidiau o fara a 'menyn.

Ni fu'r chwe blynedd yn y Gaerwen ymysg y blynyddoedd
mwyaf hapus yn fy mywyd.   Yn un peth yr oeddwn yn byw
gyferbyn â'm teulu-yng-nghyfraith, ac yr oedd eu dull o fyw yn
wahanol iawn i'r hyn yr oeddwn wedi arfer ag ef.   Teulu balch,
penuchel oeddynt, ac yn amlwg wrth ben eu digon yr adeg
honno, teulu o ffermwyr o'r ddwy ochr, ac yn ymffrostio yn y
ffaith eu bod yn disgyn o genedlaethau o ffermwyr.   Bu wyth
o blant i'r teulu, ond nid oedd ond pedwar yn fyw pan euthum
yno i fyw——dau fab a dwy ferch.   Dyn llym, oer oedd Richard
Williams, y tad.   Fe oedd y "boss" yn llawn ystyr y gair.
"Mistar" y gelwid ef gan yr hen wraig, a "Mistras" y gelwid
hithau gan ei gŵr.   Prin iawn y cefais air caredig ganddo.   Fe
fyddai'n cosbi'r plant pan fyddai angen.   Adroddodd W.H.
wrthyf hanes un tro am ei dad yn ei anfon allan i dorri gwialen
i'w guro am ryw drosedd.   Chwiliodd W.H. am ddraenen, a
adnabyddwn ni dan yr enw "march mieri".   Torrodd le i'w
dad afael ynddi ac aeth â hi iddo.   Edrychodd ei dad yn syn ar y
wialen, "Wyt ti'n meddwl i mi dy guro hefo hon" ? meddai,
"Dwn i ddim", meddai W.H. yn wylaidd.   Cafodd ddianc
heb y gosb y tro hwnnw.   Yr oeddem ni fel teulu yn y Garn
ac yn Llanrwst bob amser yn deulu hapus.   Ni fu i ni erioed
ffaelu maddau unrhyw gamwedd i'n gilydd cyn cysgu.   Ond
ymffrostiai teulu W.H. na ddarfu yr un ohonynt erioed ym-
ddiheuro. (Dyma wers a ddysgodd W.H. yn fuan ar ôl
ymadael â'r teulu).   Bu Richard Williams yn oruchwyliwr
gwaith glo ym Mhentre Berw ar un adeg.   "Gwaith Sais" y
gelwid y lle gan mai Sais oedd y perchennog.   Yr oedd llawnder
o lo yno ond yr oedd y gwaith mor wlyb gan ei fod mor agos i'r
Gors Ddyga fel y bu raid ei gau.   Pan aethom ni i'r Gaerwen
dyn gwael ei iechyd oedd Richard Williams.   Nid wyf yn ei
gofio yn gwneud dim gwaith a bu farw'n lled fuan ar ôl imi
fynd yno.

Ar ddiwedd y chwe blynedd gadewais y Gaerwen gyda llawenydd ac yr oedd W.H. cyn falched â minnau.

Hwyrach y gwelir cefndir teulu W.H. yn well os dyfynnaf ran o'r atgofion y dechreuodd eu 'sgrifennu.

"Bu y teulu yn byw yn Cefndu Isaf hyd nes cyrhaeddais wyth oed. Gadawyd y fferm yn 1859 o dan amgylchiadau anghyffredin. Fel y tyfai y teulu o blant (wyth) a'r hynaf yn 18 oed, penderfynodd fy rhieni adeiladu tŷ a siop yn ymyl gorsaf y Gaerwen, er mwyn gwneud lle yno i rai o'r plant. Dechreuwyd ar y gwaith ac yr oedd popbeth yn symud ymlaen yn ddidramgwydd. Ond, yr oedd ganddynt elynion, yn amlwg, yn chwennych y fferm. Awd a'r stori i'r *steward* fod yn medr fy nhad redeg y tir, a thynnu yr oll a allai ohono heb roddi dim gwrtaith, na chadw y lle mewn trefn ac yn y man ymadael i'r tŷ a'r siop newydd. Dyma rybudd i Nhad oddi wrth y *steward* i ymadael o'r fferm. Dywedodd y *steward* y tynnai y rhybudd yn ôl os yr ai Nhad ato ac egluro y sefyllfa yn foddhaol. Ond cymaint oedd balchter fy nhad fel y gwrthododd yn bendant. Nid oedd ronyn o sail i'r cyhuddiad ; 'roedd wedi talu y rhent ar hyd y blynyddoedd yn brydlon ac wedi llafurio y tir yn briodol a gwneud llawer o welliantau. Gwell oedd ganddo dderbyn y rhybudd nag *ymostwng* i "egluro". Felly ymadawyd i'r tŷ newydd, agorwyd siop yno ac ymhen amser cafwyd digon o gaeau i ffurfio fferm daclus yno.

Yr oedd Cefndu Isaf yng nghanol y wlad oddeutu dwy filltir o'r pentref agosaf. Byddai gweision y ffermydd eraill yn y cylch yn tyrru i'r fferm ar nosweithiau hirion y gaeaf i ymgomio, canu a chystadlu canu penillion. Dysgais felly lawer iawn o benillion telyn a byddai yn gyffredin iawn rai yn dawnsio pan y byddai eraill yn canu yr alawon.

Dysgais hefyd amryw ganeuon megis "Y Blotyn Du", "Y Capten Llong ei Dwyll a'i Dynged", etc.

Ar noson y straeon byddem ni y plant yn cyrchu yn brydlon i'r lle i glywed adrodd pob math o straeon bwganod ac eraill.

Cofiaf rai yn dda : "Merch Brenhin Demarara", "Y Bwgan Coch Bach", "Llofruddiaeth yr Aeres".

Mae'n debyg mai'r rheswm i'r llanciau gyrchu i Cefndu Isaf oedd fod llofft y llanciau uwch ben y "tŷ allan" lle yr oedd *Boiler* i ferwi bwyd i'r moch, a byddai y llanciau yn rhoddi tatws yn lludw poeth y foelar i'w rhostio. Byddai fy rhieni yn rhoddi croesaw iddynt ddod yno ond iddynt ymddwyn yn weddus. Ar nos Nadolig cânt ganiatâd i wneud cyflath a byddai hwyl fawr, rhai yn berwi, rhai yn ei dynnu ac yn ei adael allan i oeri. Gwelais un tro y cyflath wedi ei adael allan i oeri, a'r sawl oedd yn ei wylio wedi mynd i mewn i ymdwymo am eiliad. Pan aeth allan yr oedd y cyflath wedi diflannu—gweision ffermydd eraill yn mynd o amgylch i'r pwrpas. Ni byddai neb llawer dicach. Dyna gefndir fy mywyd plentynol".

A dyma fel y sonia am gychwyn ei yrfa.

"Ar ôl gorffen fy addysg a dod o'r ysgol yn y Borth rhaid oedd penderfynu beth i'w ddewis fel gwaith. Ar un adeg bûm yn meddwl am y Weinidogaeth ond collais yr awydd er i'r gweinidog ac un o'r blaenoriaid bwyso arnaf i gynnig fy hun. Pwysai fy rhieni am i mi aros gartref ac agor siop. Cymhellai Dr. Jones, Caergeiliog, i mi ddod ato ef, y gofalai ef am i mi gael mynd yn feddyg heb unrhyw gost i'm rhieni, mai'r unig beth a ofynnai oedd imi ei helpu tra y byddwn yn astudio, ac adeg y gwyliau. Pwysai fy hen athraw, "Alawydd Menai", ar i mi geisio mynediad i'r Coleg Normal ym Mangor. Pwysai David Owen, twrnai y teulu, imi ddechrau fel clerc gydag ef. Ond, 'roeddwn wedi gwneud fy meddwl i fynu i fynd ar y "Railway". Gresyn na wrandewais ar y cynghorion a'r cymhellion eraill ! Ni wnes beth ffolach erioed.

Cofiaf yn dda dderbyn y newydd fy mod wedi fy newis i ddechrau fel clerc yn y Gaerwen. 'Roeddwn ar y pryd yn cario tail gyda Richard fy mrawd. Tarewais y fforch ar ei phen yn y tail a dywedais wrth Richard, " 'Rwy'n mynd."

H

"Wel, aros tan amser noswyl, William bach", meddai yntau.
"Na", meddwn, "dim rhagor o lwytho tail i mi".

Ymhen tair blynedd fel clerc symudwyd fi i Fetws-y-coed, ac
ymhen pedwar mis anfonwyd fi i'r Bryncir yn Orsaf Feistr, i
ofalu am y Bryncir, Pantglas ac Ynys. Yno y cymerodd le y
peth pwysicaf yn fy oes. Deuthum i adnabod John Lloyd
Williams, ysgolfeistr Garn, Dolbenmaen a theulu dedwydd Tŷ'r
Ysgol.

Yn fuan ar ôl cychwyn yn y Bryncir yr oeddwn yn mynd i
fyny i dŷ Mrs. Williams, y Siop. Yn agos i'r ysgol daeth
geneth ifanc i'm cyfarfod. 'Roedd yn cerdded yn gyflym a
rhyw "swing" yn ei cherdded. Geneth oedd oddeutu'r 16 oed,
ei gwallt i lawr ar ei chefn, wyneb llon a sirioldeb yn ei holl
symudiadau. Gofynnais i'r cyfaill oedd gyda mi. "Pwy yw
hon, Morris"? "Miss Williams y Scŵl", meddai yntau.
"Geneth hardd", meddwn innau. "Ie, y mae pawb yn hoff
ohoni", meddai Morris.

'Roeddwn yn falch pan wahoddwyd fi i Dŷ'r Ysgol am fy
mod yn edrych ymlaen at gyfarfod "Miss Williams y Scŵl".
'Roeddwn wedi penderfynu eisoes y mynnwn ei chael yn wraig.
Deallir felly cymaint fy nyled i'r Bryncir, nid yn unig am wraig
ond am y teulu o frodyr a fu i mi yn nes na'm teulu fy hunan.
Yr oeddwn yn agosach atynt mewn rhyw fodd".

Wrth sgrifennu hyn o eiriau gwelaf ar y mur fel pe yn syllu
arnaf, ddau ddarlun (oil paintings) un o dad W.H. a'r llall o'i
fam. Wyneb ei dad yn llawn balchder, wedi ei eillio yn gyfan,
llygaid glas oer, heb hyd yn oed awgrym o wên. Wyneb ei
fam yn gynhesach o lawer ; wyneb ystyfnig, a phlethiad y geg
yn llawn penderfyniad. 'Roedd calon garedig iawn ganddi,
ond yr oedd wedi ei thrwytho yn syniadau ei chylch ac wedi
arfer teyrnasu yn ei byd ei hun. Yn ddiweddar ganwyd i'm
hwyres Perrie ei phlentyn cyntaf. Ehedodd fy meddwl yn ôl
at amgylchiad cyffelyb yn fy hanes innau—genedigaeth fy
mhlentyn cyntaf, yn y Gaerwen. Yr adeg honno y teimlais

fwyaf golli fy mam. 'Roeddwn wedi byw y rhan fwyaf o'm hoes mewn teulu o ddynion, yn ifanc iawn yn priodi, ac yn hollol anwybodus am amgylchiadau o'r fath. Mewn gwirionedd, nid gweddus yn yr adeg honno oedd sôn llawer yn gyhoeddus am yr amgylchiad. Ni chefais erioed fydwraig drwyddedig—dim ond gwraig gyffredin o'r pentref a dim ond 'synnwyr pen-bawd' ganddi yn y mater. Gan fod mam W.H. yn byw gyferbyn ac wedi cael wyth o blant 'roedd yn meddu ar fwy o brofiad na mi, ac fel arfer, hi fyddai'n rheoli ! Rhaid oedd i mi, fel ei phlant ei hun, ufuddhau er mor groes i'r graen fyddai rhai o'i rheolau i mi.

Bu'n gryn ddrwg dynnu rhyngom yng nghylch un peth. Mynnai'r hen wraig nad oedd yn "weddus" i wraig fod heb gap nos yn ei gwely, yn enwedig ym mhresenoldeb y meddyg. Nid oeddwn erioed wedi gwisgo'r fath beth. Ond aeth yn un pwrpas i Fangor a phrynodd ddau gap nos pur smart. Felly 'doedd ond eu gwisgo am y tro ! Pan ddaeth yr ail blentyn yr oeddwn wedi magu mwy o wroldeb ac o brofiad a phenderfynais gael mwy o fy ffordd fy hun. Y peth cyntaf a fynnais oedd newid y meddyg. Hen feddyg y teulu a arferai ddod cynt. Hen ŵr tew oedd, a thafod tew ganddo. Gwisgai het silk â ffroc côt bob amser, ac yr oedd bob amser bron colli ei wynt. "Dr. Coch" y'i gelwid ef gan bawb yn Sir Fôn ; mae'n debyg mai am y rheswm mai coch oedd ei wallt. Er gwaethaf fy mam-yng-nghyfraith mynnais feddyg ieuengach o Langefni, heb fod mor hen ffasiwn â'r Dr. Coch. Yr oedd yr hen feddyg yn byw yn yr un byd â'm mam-yng-nghyfraith. Buasai mamau ifainc yr oes hon yn arswydo wrth feddwl am y driniaeth oedd yn orfodol yn ei hoes hi. Nid oedd sôn wrth gwrs am "analgesia" ; dim "maternity homes" ; dim "labour wards" a phawb am eu gorau yn ceisio lleihau'r dioddef. Nid anghofiaf byth fel 'roedd fy mam-yng-nghyfraith wedi gwneud, yn ôl ei harfer ei hun, fag a'i lonaid o wellt i mi benlinio arno wrth ochr y gwely.

Pan ddaeth y meddyg ifanc, adeg geni yr ail blentyn, a gweld y bag wrth y gwely, gofynnodd, "Beth ar y ddaear ydi hwn" ? a rhoes gic iddo o dan y gwely.   Nid anghofiaf mo'r olwg ar wyneb fy mam-yng-nghyfraith.   Ni faddeuodd byth iddo am y fath dramgwydd.   Arferai'r hen wraig wneud yr hyn a alwai yn "fwyd cwrw", ac er y byddai'n gas gan fy nghalon ei weld, heb sôn am ei flas, bwytawn ef yn wrol gan mai, yn ei chred hi, dyma'r peth gorau at fagu llaeth.   Cyn belled ag y cofiaf, dyma gynnwys y bwyd cwrw : Rhoed bara wedi ei falu mewn powlan, dŵr berwedig arno, a thipyn o synsur, siwgwr a chwrw.   A ellir meddwl am ddim gwaeth ?   Gwnâi hefyd "fwyd *gin*" i'r babi.   'Dwn i ddim hyd heddiw pa rinwedd a dybiai hi oedd yn y bwyd *gin*, os nad i wneud i'r bychan gysgu !   'Doedd ryfedd fod cymaint o rai bychain yn colli'r dydd, trwy anwybodaeth yn unig.

Mor ffodus yw merched yr oes hon—*Clinics* ar gyfer pawb, *cod liver oil* ac *orange juice* i'r rhai bach, a phob math o lyfrau i roi cyfarwyddyd i famau ifainc.

Synnais lawer sut y bu i W.H. fod mor wahanol i'w deulu ymhob dull a modd.   Nid rhyfedd iddo gofleidio'm teulu i â chalon agored.   Dim rhyfedd chwaith, fod W.H. mor llawen a minnau pan adawsom y Gaerwen ar ôl chwe blynedd.

Gan ein bod yn byw filltir o'r pentre, ychydig a welwn ar drigolion y pentre ond yn y capel y Sul.   Robert Hughes oedd enw'r gweinidog yn y capel Methodistaidd (Calfinaidd).   Fe oedd y gweinidog pan oedd W.H. yn fachgen a phan euthum i fyw i'r ardal 'roedd Robert Hughes mewn cwrs o oedran.   Tipyn o deyrn y cyfrifid yr hen frawd.   Credai mewn cario allan reolau'r "Hen Gorff" i'r llythyren eithaf.   Ni feiddiai'r merched fynd i'r Seiat heb feddwl am adnod neu bennill i'w hadrodd, rhag ofn i Robert Hughes ofyn am eu profiad.   Meddai ar lais mawr a phwysleisiai bron pob gair wrth siarad.   Pe digwyddai i chwaer ysgwyd ei phen, taranai'r hen weinidog—

"*Beth*, dod i'r *Seiat heb ddim gair* ar eich *meddwl* ? 'Rwy'n *syn-nu at-och chi*".

Yr adeg honno, os priodai unrhyw aelod o'r eglwys "un o'r byd", hynny yw, un nad oedd yn aelod eglwysig, yn ôl rheol yr Hen Gorff, torrid ef allan o gymdeithas yr Eglwys, neu yng ngeiriau Robert Hughes, "traddodid ef i Satan". Pan oeddwn yn byw yn y Gaerwen, ac yn aelod yn yr eglwys, 'roedd merch yn byw yn y pentre, o'r enw Jane Williams, y Groeslon, yn aelod selog o'r eglwys ac yn un o ferched parchusaf yr ardal. Pan gafwyd ar ddeall fod Jane Williams i briodi gyda Tom Roberts, y ddau wedi cyrraedd canol oed, a Tom Roberts yn un o'r cymeriadau mwyaf bucheddol yn y pentre', 'doedd gan neb ond gair da iddo, ond, nid oedd yn aelod eglwysig yn ôl rheol yr Hen Gorff. 'Roedd llawer o ddyfalu yn y capel beth a wnâi Robert Hughes o dan yr amgylchiadau. Teimlad y mwyafrif oedd y buasai'n warthus torri Jane Williams allan o'r Seiat. Nid oedd gan y blaenoriaid ddigon o asgwrn-cefn i wrth-wynebu'r gweinidog. Teimlai ieuenctid y capel fod yn hen bryd ceisio rhwystro'r fath gamwri, os oedd modd, ac fel y gellid meddwl, 'roedd W.H. ymysg y mwyaf selog am wneud i ffwrdd â rheol mor wrthun. Daeth noson y Seiat a llawr y capel yn llawn. Ar ôl y gwasanaeth dechreuol cododd Robert Hughes ar ei draed ac yn ôl ei arfer, dechreuodd daranu : "Mae gennym *achos difrifol iawn* i'w drafod heno, Jane Williams y Groeslon *wedi priodi un o'r byd*".

Cyn iddo fynd ymhellach cododd W.H. ar ei draed : "Hanner munud, Mr. Hughes", meddai. Collodd yr hen weinidog ei dymer a gwaeddodd yn ei lais croch : "Eisteddwch i lawr". Gofynnodd W.H., "A ydych chi'n dweud na chaf fi ddim siarad, Mr. Hughes" ? "Ydwyf", oedd yr ateb, " 'Does gennych chi ddim hawl i siarad. Eisteddwch i lawr".

Ystyriodd W.H. am foment beth a wnâi, ai herio'r hen ŵr ynteu eistedd. Eistedd a wnaeth a chariodd gydymdeimlad yr holl gynulleidfa. Teimlwyd fod yr hen weinidog wedi mynd

yn rhy bell.   Gan fod teimlad yr Eglwys yn amlwg yn erbyn
torri Jane Williams allan penderfynwyd gan y swyddogion a'r
gweinidog ei thorri o gymundeb ond nid o aelodaeth.   Ac nid
wyf yn meddwl i'r rheol gael ei gweinyddu yn yr eglwys honno
byth ar ôl hynny.

’Roedd hen chwaer a elwid Mrs. Owen y Becws yn byw yn y
pentre.   Treuliodd Mrs. Owen flynyddoedd cyntaf ei hoes yn
Lerpwl, felly Cymraeg ’smala a siaradai, a "Chdi" a ddwedai
wrth bawb.   ’Roedd gan bawb barch mawr iddi ac nid oedd
aelod mwy ffyddlon.   Un tro daeth siou anifeiliaid (menageri) i
Langefni ac aeth llu o bobl y Gaerwen yno, ac yn eu mysg Mrs.
Owen y Becws.   A hynny ar noson y Seiat.   Clywodd
Robert Hughes am y peth.   Yn y Seiat ganlynol galwyd yr
hen chwaer i gyfrif.   Meddai Robert Hughes, "*Yr ydw i wedi
syn-nu at-och chi*—yn mynd i r *men-a-ger-i* ar *nos-on* y *So-sie-ty*'.
"Llasa tithau roi'r Seiat ar noson arall", oedd ateb yr hen
chwaer.

Beth bynnag y gellid ei ddweud am Robert Hughes fel teyrn,
cadwodd ddisgyblaeth ar yr eglwys.   Nid wyf yn cofio i ddim
annymunol ddigwydd o dan ei fugeiliaeth.   Ac yr oedd pawb a
pharch mawr iddo.   Wedi iddo farw daeth elfennau pur
annymunol i'r eglwys.

Y NG nghwrs fy arosiad yn y Gaerwên cefais brofiad o
arferiad sydd erbyn hyn wedi diflannu o'r Ynys, ac yn
awr ymysg y pethau a fu, sef priodas fawr.   Ymysg y dosbarth
gweithiol y byddai priodas fawr fel rheol, gan fod yr arfer yn
help i bâr ifanc heb feddu ar fawr o bethau'r byd at ddechrau
byw. Bûm yn bresennol mewn un briodas fawr. Mewn
priodas fawr byddai *ras am y deisen*, y deisen wedi ei pharatoi gan
deulu'r wraig ifanc. Fel rheol rhoddid darn o arian yn y
deisen, y swm yn dibynnu ar amgylchiadau teulu'r wraig.
Safai'r rhedegwyr wrth ddrws yr Eglwys nes clywed y Person yn
cyhoeddi'r pâr ifanc yn ŵr a gwraig, ar y funud ymaith â'r
rhedegwyr i gychwyn y râs.   Wrth gwrs, byddai hyd y râs wedi
ei phenodi ymlaenllaw. Yn y briodas a gofiaf, 'roedd y râs
yn cychwyn o ddrws yr Eglwys ar hyd pentre'r Gaerwen hyd at
groeslon Cefndu, yna i lawr heibio i'r capel Calfinaidd at yr
Orsaf (dros filltir o'r pentre), ac yna yn ôl ar hyd y Lôn Groes i
gartre'r wraig ifanc.   "Tom bach", ail was Dinam Arms oedd
y priodfab, a Kate, merch Margiad Jones, Lôn Groes oedd y
briodferch.   Ar ôl y briodas byddai te i'w gael yng nghartre'r
briodferch.   Dyma sut y bu imi fod yn bresennol yn yr unig
briodas fawr a welais erioed. 'Roedd teulu Dinas Arms yn
cymeryd diddordeb mawr yn y briodas gan fod Tom wedi bod
yn was yno er pan oedd yn fachgen yn ei le cyntaf, a Margiad
Jones yn arfer mynd yno ac i'n tŷ ni i weithio.   Cofiaf i ni
fynd i'r briodas yn y "wagonette"—yr hen wraig (mam W.H.)
fel brenhines, y ddwy ferch, a minnau, a Richard, y mab hynaf
yn gyrru'r *wagonette*.   Rhoddodd pob un ohonom swm sylwedd-
ol ar y bwrdd te cyn gadael, a gwnaeth llawer o gyfeillion y
pâr ifanc yr un modd, felly cafodd Tom a Kate rai punnoedd
at hel cartref. Wrth gwrs, hwyl fawr y briodas fyddai'r râs
am y deisen.   Yn y râs hon y buddugwr oedd mab William

Dafis y Potiwr.   Diddorol oedd gweld y rhedegwyr yn diosg rhai o'i dillad a'u taflu i gyfeillion ar hyd ochr y ffordd.

Yn yr oes honno, o flaen y car modur a'r bus, nid oedd ond cerbyd a thrên yn yr Ynys.   Pan fyddai Cymanfa Ysgolion ym Mryn Siencyn, cludid y plant yno mewn troliau.   Rhoddai ffermwyr yr ardal fenthyg trol a cheffyl a gwas am y diwrnod a mawr fyddai'r hwyl.   Byddai cystadleuaeth ymysg y gweision am y "turn-out" gorau—pob lliw o rubanau wedi eu plethu ym mwng y ceffylau, y troliau wedi eu sgwrio a seti i'r plant eistedd arnynt wedi eu gosod.   Diwrnod i'w gofio fyddai diwrnod y Gymanfa Ysgolion i blant pentrefi Sir Fôn.

Ar ddiwedd chwe blynedd fy arosiad yn y Gaerwen penodwyd W.H. yn Orsaf Feistr yn Llanrwst—fy hen gynefin.   Buom fel teulu yn hapus iawn yno.   Cafodd W.H. lawer cynnig i symud i orsaf fwy pwysig, ond gwrthododd gan ei fod wedi gwreiddio ym mywyd yr ardal.

Ar ôl ymddeol cafodd ei wneud yn Inspector i'r Railway Passengers Assurance Co.   Bu yn y swydd hyd iddo gyrraedd 75 oed.   Rhoddodd y swydd iddo fwy o ryddid i ymddiddori ym mywyd cyhoeddus yr ardal a'r sir.   'Roedd yn Henadur ar Gyngor Sir Ddinbych.   Bu'n Ystys Heddwch yn ogystal, ac ni phallodd ei ddiddordeb ym mhethau'r dref—Yr Ysgol Ganol-Raddol, yr Ysgolion Elfennol, y Capel a'r Ysgol Sul. Yr oedd ei fywyd yn llawn gwaith.

Bu farw'n 78.   Rhyfedd meddwl heddiw fod can mlynedd er dydd ei enedigaeth.

Ar ôl ei farwolaeth, gwag iawn i mi oedd Llanrwst, er fod gennyf lawer o gyfeillion hoff.   Symudais i'r Rhyl ac yno y bûm am chwe blynedd, a gwnes lawer o gyfeillion yno.   Un haf aeth William, fy mrawd (yntau yn weddw erbyn hyn) a minnau i'r Garn ar ein gwyliau.   Cawsom le i aros ym Mhen-y-bont bythgofiadwy, gyda theulu caredig iawn—Mr. a Mrs. Davies, 'roedd cysylltiad pell rhyngddynt a'r hen deulu oedd yno pan aeth John a minnau yno gyntaf. Yr oedd dros ddeugain mlynedd wedi mynd heibio er pan y bûm yn y Garn o'r blaen, ac yr oedd llawer iawn o gyfnewidiadau wedi cymryd lle yn y cyfamser. Ar un olwg rhyw ymweliad digon prudd oedd. O'r holl bennau teuluoedd oedd yn y Garn pan euthum ni yno gyntaf, nid oedd neb yn aros ; y cwbwl wedi mynd.

Cawsom groeso cynnes gan bawb, ond y cwestiwn cyntaf gan bawb oedd, "Sut mae Mistar" ? Cwyno mawr oedd o bob ochr. "Dim byd yn y Garn rwan". Yr oedd chwareli Cwm Pennant wedi cau ers llawer dydd. 'Roedd dwy o'r siopau fyddai unwaith yn gwneud busnes da wedi cau a'u ffenestri wedi eu bordio. Dim gwaith. Dim busnes. Dim swn tincian yr engan yn awr ; yr hen efail wedi mynd yn adfeilion. Gweithdy Robert Jones y Crydd a thŷ Sion Morris y Clocsiwr wedi mynd a'u pen iddynt. Yr hen ffatri wlân a fyddai mor brysur yn ein hamser ni wedi cau ers blynyddoedd. Llyn y Pandy wedi cau â chwyn a'r afon fach a fyddai'n bwydo'r llyn, fel pe bai wedi colli'r ffordd yn yr anialwch, a'r hen olwyn ddŵr yn disgyn yn ddarnau. Darlun prudd onide ? Yr unig leoedd yn dal o hyd oedd y ddau gapel a'r ysgol.

Aeth William a minnau am dro un diwrnod heibio i'r hen Garreg Gron. Yr oedd ffarmwr yn y cae cyfagos yn cribinio gwair. Aeth William, yn ôl ei arfer, at y wal i gael sgwrs ag ef. Cwestiwn cyntaf y ffarmwr oedd : "Ar eich gwyliau yr ydych" ? A'r cwestiwn nesaf oedd "Ym mhle 'rydych chi'n aros" ? "Ym Mhen-y-bont", atebodd William.

"Ydych chi'n perthyn i'r Dr. Lloyd Williams" ?

'Mae'n frawd i ni".

"Wel, rhaid imi gael ysgwyd llaw â chi. Tydwi ddim yn frodor o'r Garn, ond rwyf wedi clywed llawer amdano ac am y gwaith mawr a wnaeth yma, a chredwch fi, mae o wedi gadael ei ôl ar y lle hyd heddiw. Ac am ei ddisgyblion, mi ellwch eu hadnabod ; mae wedi gadael ei stamp arnynt bob un". Teimlwn fy nghalon yn cynhesu at y dyn er ei fod yn hollol ddieithr i mi. Teimlwn nad oedd y llafur diflino, dirwgnach a di-dal a roes John fy mrawd ar hyd y blynyddoedd i'r ardal wedi mynd yn ofer.

Mwynhaodd William a minnau y gwyliau yn y Garn yn fawr iawn ac yr oeddem ein dau yn cytuno ar ddau beth—fod llawer o bobol feddylgar yn byw yn y Garn a'u bod yn siarad Cymraeg da.

Prin yr aeth haf heibio ar ôl hyn heb i William a minnau ymweled â'r hen ardal.

Dywedais mai myfi oedd y cyntaf i adael y cartref hapus yn y Garn. Yr ail i adael y Garn oedd William, pan aeth i Goleg y Brifysgol i Fangor. Ymhen ychydig ymadawodd Hugh i fynd i'r *Art School, South Kensington.* Ymhellach ymlaen aeth Owen, fy mrawd ieuengaf, at Bob i Birmingham, lle y cafodd swydd fel clerc (caf ddweud rhagor am Bob ac Owen yn nes ymlaen). A'r diwethaf i ymadael oedd John ar ôl treulio deunaw mlynedd o wasanaeth diflino yn yr ysgol a'r ardal. Aeth i Lundain i wneud ymchwiliad mewn Llysieueg Amaethyddol o dan yr Athro Farmer yn *South Kensington.* Ymhen ychydig amser penodwyd ef ar y staff, a chyn diwedd y pedair blynedd o'i arhosiad yn Llundain 'roedd ar staff y *Royal College of Science.*

Pan adawodd John y Garn daeth fy Nhad yn ôl i Lanrwst i wneud ei gartref gyda ni, ac yno y treuliodd weddill ei oes.

Er i'r teulu chwalu buom ar hyd y blynyddoedd yn cadw'n agos at ein gilydd. Gyda ni yn Llanrwst y treuliai William ei wyliau hyd nes priodi, a chyda ni y treuliai Hugh ei wyliau bob amser. A mawr oedd yr ysgrifennu llythyrau rhyngom i gyd. Yn yr iaith Saesneg yr arferem lythyru at ein gilydd fel teulu. Yr unig ddau i ysgrifennu'n Gymraeg oedd John a minnau a hynny yn gymharol ddiweddar. Dyma ddylanwad yr addysg hollol Saesneg a gawsom fel plant yn yr ysgol, ac wedyn fel athrawon ("P.T.s").

Yr oedd gwahaniaeth dirfawr rhwng y tri brawd hynaf a'r pedwar ieuengaf o'r teulu. Tra gallai'r tri hynaf ysgrifennu gyda meistrolaeth yn yr iaith Saesneg a'r Gymraeg, yr oeddem ni'n pedwar yn fwy hyddysg mewn llenyddiaeth Saesneg na'r Gymraeg. Prin oedd ein gallu i sgrifennu Cymraeg clasurol. Mae'n fwy na thebyg mai'r rheswm am y gwahaniaeth rhyngom oedd dylanwad fy mam. Cafodd ei gwybodaeth eang o

lenyddiaeth Gymraeg a'r iaith Gymraeg effaith ddofn ar y tri
brawd hynaf. Ond cawsom ni'r pedwar ieuengaf ein ham-
ddifadu o'r fraint hon drwy ei marwolaeth gynnar ac felly
Seisnig fu dylanwad ein haddysg ar hyd y blynyddoedd. Ychydig
o gwmni Nhad a gawsom fel plant gan na fyddai gartref ond
dros y Sul. Felly Mam oedd y dylanwad ar yr aelwyd gartref, a
pho fwyaf yr edrychaf yn ôl mwyaf yn y byd y sylweddolaf mai
gwraig nodedig iawn oedd, a mawr oedd dyled y tri hynaf iddi.
Er bod Robert a Richard wedi byw y rhan fwyaf o'u hoes yn
Lloegr, Richard ym Manceinion a Robert ym Mirmingham,
'roedd Cymraeg y ddau mor bur â phe na buasent erioed wedi
bod allan o Gymru. Pan siaradent yn Saesneg nid oedd
ganddynt acen Gymreig, ac wrth siarad Cymraeg nid oedd gan
yr un o'r ddau rithyn o lediaith Saesneg. Cafodd Richard
fantais ar Bob trwy iddo lynu wrth y capel ar hyd ei oes. Bu
farw yn gymharol ifanc. Ceir manylion am Richard yn
Cyfrol IV o Atgofion John, pennod XXVI, tud. 243.

Am Bob, er iddo yntau fynychu'r capel am ychydig ar ôl
mynd i Birmingham, blinodd yn bur fuan, ac ar hyd y blyn-
yddoedd tra fu yn Birmingham nid aeth mwyach ar gyfyl lle o
addoliad, er ei fod o ran natur yn grefyddol. Nid oedd neb yn
fwy hyddysg yn ei Feibl na Bob, ond 'roedd aros gartref i
ddarllen yn ormod temtasiwn iddo, a neb, na gweinidog na
blaenor, â digon o ddiddordeb ynddo i edrych beth oedd wedi
digwydd iddo.

Ychydig cyn i John adael y Garn aeth Owen at Bob, a chredaf
mai camgymeriad o'r mwyaf oedd gadael iddo fynd i Birming-
ham. Gwael ei iechyd fu Owen bron ar hyd ei oes. Meddai
ar allu mawr, ond heb ddigon o nerth i fynd ymlaen i astudio.
'Roedd yn fathematisian gwych. 'Doedd dim problem na allai
ei datrys. Pan fyddai rhai o'r athrawon yn ysgol y Garn mewn
anhawster gydag unrhyw broblem, aent at Owen a setlai'r
anhawster rhag blaen. Heblaw nad oedd yn gryf ei iechyd
dioddefai gan atal-dweud drwg iawn ers pan yn fachgen bach.

Yn naturiol, o achos yr atal, byddai'n nerfus o siarad â dieithriaid.
Aeth i letya i'r un fan â Bob a chredaf, pe byddent wedi aros yn y
llety hwnnw y byddai wedi bod yn well ar les Owen. Cymer-
odd Bob yn ei ben y cawsant fwy o heddwch a rhyddid mewn tŷ
eu hunain—heblaw y buasai'n rhatach. Mae'n fwy na thebyg
nad oedd Bob yn cael rhyddid i hel llanast a llyfrau yn y llety.
Cymerodd dŷ bychan a'i ddodrefnu a chael dynes i lanhau.
Setlodd y ddau i lawr yn eithaf cysurus yn eu cartref newydd.
'Roedd y ddau yn ddarllenwyr mawr. Meddai Owen ar gof
campus, a phan fyddai Bob yn ffaelu cofio dyddiad rhyw ddi-
gwyddiad neu enw awdur, nid âi i drafferth i chwilio, gofynnai i
Owen a châi ateb yn syth. Ambell dro âi i ddadleu'n frwd â
Owen ar ryw bwnc neu'i gilydd. Ni rôi Bob byth i fewn os na
byddai rhaid. Âi Owen ati i chwilio ac ar ôl dod o hyd i'r
ffeithiau dan sylw, heb ddweud gair o'i ben, dangosai'r llyfr i
Bob gan bwyntio â'i fys at yr hyn a brofai mai Owen oedd yn
iawn. Er fod Bob yn ddarllenwr mawr ei hun, fe hoffai'n fwy
na dim i rywun arall ddarllen yn uchel iddo. Darllenodd
Owen am oriau iddo, ac er fod atal-dweud mor ddrwg arno
gallai, ond pitsio ei lais mewn tôn neilltuol, ddarllen yn uchel yn
lled rwydd.

Aethant drwy *Decline and Fall of the Roman Empire* gan
Gibbon yn y modd yma.

Dwedai Bob am Owen, iddo, yn ystod ei oriau hamdden,
ddysgu a meistroli Ffrangeg, a darllenodd holl nofelau Dumas
yn yr iaith wreiddiol. A mwy na hyn, trosodd y Testament
Ffrangeg i'r Saesneg i Bob.

'Roedd Bob yn fwy dyn o ran corff na'r un o'r brodyr.
Meddai ar gorff hardd a phen ardderchog. Mewn gwirionedd
yr oedd yn ddyn lluniaidd iawn—tal a llydan ac nid wyf yn cofio
i Bob erioed fod yn wael. Ni sylweddolodd nad oedd iechyd
Owen y peth a ddylai fod. Bachgen tawel iawn oedd Owen,
ni chwynai byth. Ymhen amser pallodd ei iechyd a bu farw'n
sydyn. 'Roedd y sioc yn ofnadwy i Bob. Beiai ei hun na

buasai wedi sylweddoli stad ei iechyd yn gynt.   Bu'n hiraethus
iawn ar ôl Owen.   'Roedd yn teimlo ei le yn wag iawn a'r
unigrwydd yn llethol.   Nid oedd Bob wedi arfer byw ar ei ben ei
hun o'r blaen.   Ar ôl marwolaeth Owen aeth Bob i Lundain i
aros gyda Hugh am seibiant, a dotiai Bob at y lle cysurus oedd
ganddo.   Aeth yn ôl i Birmingham gyda'r bwriad o gasglu digon o
arian i wneud ei gartref gyda Hugh pan allai fforddio rhoi gorau i
weithio.   Ymhen ychydig ar ôl ymweliad Bob aeth Hugh ato i
Birmingham i fwrw Sul.   Synodd weld cymaint o lyfrau ymhob
man, ar y cadeiriau, ar y grisiau, o dan y gwely, ar hyd y muriau,
prin y gellid symud o gwmpas gan y llanast llyfrau.   Amser
cinio y Sul dywedodd Bob ei fod eisoes wedi casglu £50, a phan
ofynnodd Hugh iddo : "Pa un ai yn y Banc neu'r Post Office
y maent gen ti" ? cyfaddefodd nad oeddent yn yr un o'r ddau
le, ei fod wedi ei cuddio yn y gweithdy.   "Bobol annwyl",
meddai Hugh, "Beth pe bai'r gweithdy'n mynd ar dân".
Ni ddaeth i feddwl Bob am ddim o'r fath beth.   Gwnaeth
Hugh iddo fynd gydag ef i'r gweithdy'r prynhawn Sul hwnnw i
gyrchu'r arian.   'Roedd Bob wedi eu cuddio ar un o'r distiau
uchaf yn y gweithdy.   Perswadiodd Hugh iddo anfon yr arian
i'r Banc yn Llanrwst ac felly y gwnaeth.   Ar ôl hyn anfonai
symiau'n gyson, nes casglu £100.   Ar ôl hynny penderfynodd
y buasai'n fwy cyfleus iddo roi ei arian yn y Banc yn Birming-
ham.

Sylwodd Hugh fod ganddo ddau neu dri o gopïau o'r un
llyfr.   Gofynnodd "Pam mae genti fwy nag un copi o'r un
llyfr" ? "Mi ddeudai iti", meddai Bob.   "Mi fyddaf yn
rhwygo ychydig o ddalennau o'r llyfr a'u rhoi yn fy mhoced cyn
mynd i fy ngwaith.   A phan fydd gen i bum munud i'w
sbario, byddaf yn eistedd i ddarllen".

Gwnaeth ei feistr ef yn fforman yn y siop un waith, ond
blinodd Bob ar y swydd a rhoddodd y gorau iddi, am y rheswm,
meddai, nad oedd yn cael digon o amser i ddarllen.   Gwell
oedd ganddo wneud ar lai o gyflog.   Gwelir nad oedd ganddo

rithyn o uchelgais i wella ei safle. Dechreuodd ei yrfa fel "cabinet maker", a diweddodd yn "jobbing joiner".

Daliodd Bob i weithio gyda'r un ffyrm a rhoi swm heibio'n gyson. Ymhen amser bu Boss y ffyrm farw a cheisiodd ei weddw gario'r busnes ymlaen. Dechreuodd y busnes fynd i lawr. 'Roedd gan Bob ychydig arian yn y banc a rhoes eu benthyg iddi er mwyn ceisio dal y busnes ar ei draed. 'Roedd Bob erbyn hyn yn 70 oed. Ni fu erioed yn perthyn i Undeb Llafur, felly gwan oedd gobaith am waith mewn ffyrm arall. Cododd ei arian a throsglwyddodd £400, pob dimai yn ei enw ym Manc Birmingham, i'r weddw. Yn lled fuan aeth y ffyrm yn fethdalwyr a chollodd Bob druan ei £400, ffrwyth cynildeb ar hyd y blynyddoedd. Nid oedd ganddo bellach ond y £100 yn y banc yn Llanrwst. Gwelodd ei gamgymeriad yn rhy ddiweddar. Yn naturiol 'roedd yn nyfnderoedd digalondid. Anfonodd Hugh ato i ddweud fod pob croeso iddo ddod i wneud ei gartref gydag ef yn Llundain os mynnai.

'Roedd eu fflat o fewn deng munud o waith cerdded i'r *Caledonian Market*, un o'r lleoedd mwyaf diddorol yn Llundain yn fy marn i. Ar ddydd Mawrth a Gwener y cynhelid y farchnad. Âi Bob yno'n selog y ddau ddiwrnod. Wrth gwrs, y stondin lyfrau ail-law a âi â serch Bob. Ni ddeuai byth oddi yno yn waglaw. Fesul tipyn cynyddodd ei stoc lyfrau a buan y bu rhaid gosod silffoedd i ddal y cwbl.

Treuliodd wyth mlynedd yn Llundain gyda Hugh. Rhaid cyfaddef fod ganddo rai arferion a dynnai'n groes i'r graen i Hugh. Cwynai Hugh wrthyf fod Bob yn mynnu gwisgo het am ei ben yn y tŷ a honno yn het flêr iawn. Un tro anfonodd William anrheg o 10s. iddo a gofynnodd iddo ddewis het gan na wyddai William fesur ei ben. Un diwrnod euthum i edrych am y ddau a dyna lle yr oedd Bob yn sefyll â'i gefn at y tân, â'r un hen het flêr am ei ben.

"Helo"! meddwn, "wyt ti'n mynd allan"?

"Nac ydw, pam rwy ti'n gofyn" ?

"Dy weld yn gwisgo het".

"Hen arferiad sydd gen i ; fel y gweli, 'rwy wedi mynd yn bur foel".

"Oes gen ti ddim het mwy *respectable* i'w gwisgo" ?

"Oes"—

Ond cyn iddo gael dweud gair ymhellach, torrodd Hugh ar ei draws,

"Oes. 'Roedd William am roddi het iddo yn bresant Nadolig, ac anfonodd chweugain iddo ddewis un ei hun, ac aeth Bob i'r *Caledonian Market*, prynodd het ail-law am wyth geiniog a gwariodd y gweddill o'r deg swllt ar lyfrau". 'Roedd hyn yn nodweddiadol o Bob ac nid oedd ddiben ceisio ei argyhoeddi.

Darllenodd mewn rhyw lyfr mai'r ffordd orau i orffwys oedd gorwedd o dro i dro a'r traed yn uwch na'r pen. Un diwrnod daeth i mewn yn llusgo planc hir. Gosododd y planc ar yslant, un pen yn gorffwys ar fraich cadair, a'r llall ar y llawr, a gorwedd-ai ar y planc â'i ben i lawr a'i draed i fyny bob dydd. 'Roedd Hugh wedi dod i arfer â'r "gorffwyso" ond, un diwrnod, ynghanol y prynhawn, daeth cyfaill i Hugh heibio adeg y gorffwyso ac yr oedd yn amlwg ei fod wedi ei syfrdanu !

Pan sgrifennai Bob at wahanol aelodau o'r teulu ychydig o hanes personol a roddai yn ei lythyrau. Dibynnai cwrs ei lythyr ar y llyfr y bu'n ei ddarllen ddiwethaf. Ac âi ymlaen i ymadroddi am y llyfr.

Y dydd o'r blaen deuthum o hyd i lythyr oddi wrth William, wedi ei anfon yn 1936 yn lled fuan ar ôl i Bob fynd i Lundain. A dyma ddywed :

My Dear Sister,

I have had a long letter from Robert. I get a letter from him in the course of every month, and each one, apart from a few ordinary references, are about *pynciau* and only incidentally about things and news.

Among the outings we took when I was up in London was one to the country of Milton and he greatly enjoyed it. We went through the region of Chalfont St. Giles. In his letter, referring to this Robert says :

' Dear William,

I would not have missed seeing Chalfont St. Giles for anything. About a month ago I saw a very interesting picture in the "Sunday Despatch".—of a lady diviner with the traditional twig in her hand, standing in the dried-up bed of the stream that once flowed by Chalfont St. Giles. But in tracing the truant stream, the willow twig made no response : there was no "trwst yn mrig y morwydd". The hibernating stream should have wakened in answer to the probe of the rod. I wonder if such was Siloam's brook that flowed fast by the oracle of God, now dried up. Milton is also dead to all but some eccentric old figures like myself. Let us be thankful that the ' dyfroedd bywiol ' that flow ' o dan riniog Ty fy Nhad ' are still flowing. It is not necessary for the divining rod of any revivalist to unseal them. They are not for the few, but for all, even the humblest. Last Tuesday I was in the Caledonian Market where I ferreted out a beautiful copy of Milton with the binding at the back badly torn. The stall-owner looked at the torn binding and gave me the book for a penny. Hugh with his paste mended the ragged cover and gave me the best copy of Milton I have ever had. Hugh's pliant fingers had again made Siloam's brook to flow. After his artistic fingers had weeded off the tatters, it was ' crystal clear ' again. It was printed 100 years ago.

Bob.'

"I was so glad Hugh took the trouble with the copy. It meant so much to Robert. What a world of richness of thought and intellectual enjoyment he lives in. And what a fine text for a sermon on the superficiality of what the world prizes is the bargaining with the stall-holder for the copy. "The man looked at the binding and gave it me for a penny". "The man" never saw the *book* ; Robert never saw the *binding*".

Digwyddais fynd i edrych am y ddau un tro pan oeddwn yn Llundain. Estynnodd Bob y llyfr gan Milton i ddangos imi mor ddestlus y trwsiodd Hugh y clawr. A meddai, gan ddal y

I

llyfr yn ei law, "Pan oeddwn yn Birmingham dywedodd un o fy mêts yn y Siop wrthyf, ' You must be very lonely living in a house by yourself. Why dont you buy a dog ? You know, a dog is the best friend a man can ever have.' Meddylia", meddai, "eisio i mi gael *ci*, a finna'n byw hefo Shakespeare a Milton".

Tri arwr mawr Bob oedd yr Apostol Paul, Napoleon Bonaparte a Winston Churchill. Gallai adrodd gwrhydri Napoleon o bant i bentan. Gwyddai fanylion ei ryfeloedd i gyd a gallai siarad amdanynt am oriau heb ball. Adroddai ddarnau maith o weithiau Churchill. Un tro gofynnodd W.H. iddo, "What is your opinion of Paul, Bob" ?

"*Paul* ?, *Paul* ?" meddai, "Why, he was one of the greatest men who ever lived. Just look at him, small, bleary-eyed and bandy-legged and yet he transformed the world".

Ymhen amser dechreuodd ei olwg ballu. Profedigaeth lem iawn oedd hyn iddo ac yntau yn byw ar ddarllen. Gwariodd lawer o arian i brynu spectols a chwyddwydrau, ond, gwaethygu 'roedd ei olwg, a phan dorrodd y rhyfel allan yn 1939 a'r bomio mawr ar Lundain yn 1940 effeithiodd ar gyneddfau Bob. Dirywiodd mewn ychydig amser. Gwaethygodd ei olwg, ei glyw a'i gof. Meddai ar gof ardderchog cynt.

Effeithiodd y rhyfel hefyd ar oruchwyliaeth Hugh fel arlunydd. Bu'n llwyddiannus cynt fel *portrait painter*, ac fel *commercial artist* câi waith gan ffyrms mwyaf pwysig Llundain. Pan oedd yn bur ifanc llwyddodd i gael darlun i'r *Royal Academy*.

Fel 'roedd y bomio yn cynyddu a ffenestri'r fflat wedi eu malurio, dim dŵr i'w gael a Bob wedi mynd yn rhy fusgrell i allu dianc i'r "shelter", sylweddolwyd fod yn rhaid ceisio lloches iddynt.

Llwyddwyd i gael lle—yn y Garn—hen Siop Pen-y-bont a fu'n wag am flynyddoedd. Gwnaed y siop yn fangre byw. Bûm yno am dri mis yn gwneud y lle yn barod, ac yn wir 'roedd yn gysurus dros ben.

Bu pawb yn garedig iawn wrthynt, yn enwedig felly teulu Pen-y-bont. Mae enw Pen-y-bont, Garn, yn codi atgofion cynnes yn fy meddwl.

Erbyn hyn ni allai Bob weld i ddarllen o gwbl. Deuai Owain Wyn, bachgen bach Mr. a Mrs. Davies (erbyn heddiw yn ddyn ifanc talentog) i ddarllen iddo bob nos Sul tra fyddai Hugh yn y capel. 'Doedd damaid o ots gan Bob beth ddarllenai Owain Wyn ; 'roedd clywed llais yn darllen yn ddigon o bleser ganddo.

Awn atynt bob haf am ddeufis a chan fod William fy mrawd yn byw yn Llandudno, âi yntau i'r Garn yn aml. Yr haf diwethaf y bu Bob fyw arhosais yn hwy nag arfer. Teimlwn yn gyndyn eu gadael. Gwelwn arwyddion gwaethygu yn Bob. Ymhen pythefnos i'r diwrnod ar ôl i mi adael bu farw yn ei gwsg. Felly aeth i huno'n dawel heb boeni neb a chladdwyd ef ym mynwent Dolbenmaen. Yr unig beth a ofynnodd gan fywyd oedd digon o lyfrau a hamdden i'w darllen. Cafodd ei ddymuniad.

Rhyfedd meddwl mai i'r Garn yr euthum i geisio lloches iddynt ac mai yn y Garn y buom gyda'n gilydd, y gweddill o'r teulu, am y tro olaf. Yr oeddem yn bump—John, Bob, William, Hugh a minnau, a thynnwyd ein llun gyda'n gilydd gan fab Richard a ddigwyddai fod yn yr ardal ar ei wyliau.

PENNOD XX

Ac yn awr yn ôl at John. Nid oes angen imi sgrifennu hanes gyrfa John ar ôl iddo ddychwel i Gymru o Lundain, i'r Brifysgol. Erbyn heddiw mae ei lafur yn maes gwyddoniaeth a cherddoriaeth yn hysbys i Gymru. Gwnaeth le iddo ei hun ym mywyd Cymru. Bellach mae ei waith yn rhan o ddiwylliant ei genedl. Anrhydeddwyd ef gan y Brifysgol am ei ddarganfyddiadau gwyddonol ac am ei waith gydag alawon gwerin. Gyda llaw, daw i'm meddwl hanes cyfansoddi geiriau i'r hen alaw "Yr Hen Erddygan". Nid oedd geiriau ar gael i'r alaw. Cyfansoddodd John Morris Jones un pennill iddi. Yr oedd eisiau ail bennill, cyn cyhoeddi'r alaw ymysg eraill at wasanaeth ysgolion. Methai John yn lân a chael John Morris Jones i wneud yr ail bennill, a'r cyhoeddwr yn mynd yn ddiamynedd amdani. O'r diwedd meddyliodd John am ffordd i orfodi John Morris Jones symud. Sgrifennodd John bennill ei hun ar ddarn o bapur ac i ffwrdd ag ef ar gefn ei feic i Lanfair lle yr oedd cartref John Morris Jones. Ar y ffordd rhwng y Borth a Llanfair pwy ddaeth i'w gyfarfod, yntau ar ei feic, ond John Morris Jones. Pan welod John daeth i lawr oddiar ei feic a gofyn, "Lle 'rydach chi'n mynd"? "Dod i'ch gweld chi", atebodd John ac eglurodd ei neges gan estyn y pennill iddo : " 'Rwyf wedi gwneud pennill fy hun". "Hy", meddai John Morris, "Thâl hwn byth". Hwyliodd ei feic at y clawdd ar ochr y ffordd a gofynnodd, "Oes gennych chi bensal led" ? Estynnodd John un iddo. Rhoddodd J.M.J. y darn papur a'r pennill o eiddo John ar gyfrwy ei feic ac yn y fan a'r lle sgrifennodd yr ail bennill i'r Hen Erddygan.

Cefais y fraint o weld John yn derbyn y radd o Ddoethur, a theimlwn yn falch ohono. Ond, hwyrach, bu seremoni arall syml, cartrefol yn peri mwy o falchder a llawenydd fyth i mi. Yn 1943 bu yn y Garn ddathlu agoriad yr ysgol gyntaf, a

dadorchuddiwyd llun yr ysgolfeistr cyntaf—John. Daeth John
ei hun i'r seremoni, yn 90 oed, ac 'roedd William, Hugh a
minnau yno. Cafodd groeso cynnes. Diddorol oedd gweld ei
hen ddisgyblion yn tyrru o'i gwmpas, pawb eisiau ysgwyd llaw â
"Mistar". Arhosodd John yno gyda ni am dair wythnos a
chawsom amser difyr. 'Roedd yr hen ddisgyblion a fethodd
ddod i'r cyfarfod cyhoeddus yn dylifo i'r tŷ bob nos i'w weld.
'Roedd pawb yn synnu ei weld mor heini a llawn bywyd.
Amser i'w gofio oedd gwyliau 1943 a'r pedwar ohonom fel
pe bai'r blynyddoedd wedi troi'n ôl i'r hen amser a fu.

Pan ddaeth a sgript y bedwaredd gyfrol o'i Atgofion i mi, yn
ôl ei arfer, i edrych trosto cyn ei anfon i'r cyhoeddwr, dywedodd
"Yn tydi'n biti fy mod yn mynd yn hen a minnau a chymaint o
waith heb ei orffen". Meddwn innau, "John bach, pe caet ti
fyw i fod yn gant oed mi fuaset yn gadael yr hen fyd yma heb
hanner gorffen dy waith".

Ni chafodd ond cyffwrdd ymyl ei Atgofion. Ni chafodd
wneud yr hyn y pwysais gymaint arno i'w wneud—cyhoeddi
"Cadifor", yr Operetta a gyfansoddodd i fyfyrwyr Bangor ag
Aberystwyth. Yn fy marn i ac ym marn ei fab hynaf Dr. I. G.
Williams, dyma'r gwaith cerddorol gorau a gyfansoddodd erioed.
Gresyn na chai Cymru ei chlywed. Mae'r rhan fwyaf ohoni
ym meddiant ei fab, er fod rhai darnau wedi eu colli am byth.

Y BENNOD DDIWETHAF

DECHREUODD iechyd John waethygu yn 1945 a chafodd "major operation". Cofiaf fynd i'w weld yn yr Ysbyty yn Bath ar ôl yr *operation*. 'Roedd yn falch neilltuol o'm gweld. Gwelais fod proflenni'r bedwaredd gyfrol o'i Atgofion wrth ochr ei wely, hyd yn oed yr adeg honno. Sylwais hefyd fod effaith yr oruchwyliaeth fawr wedi dweud i raddau ar ei leferydd. 'Roedd yn ceisio adrodd rhywbeth ac yn ffaelu yn lân â chael gair arbennig allan. O'r diwedd dywedodd, gan daro ei ddwrn ar y gwely, "Dam"! Ni chlywais mohono erioed o'r blaen yn defnyddio gair mawr, a meddwn, "Wel, mae hwnna'n ddigon plaen beth bynnag", a chwarddodd dros y *ward*.

'Roeddwn wedi ffarwelio â John yn fy meddwl pan adewais yr Ysbyty, er ei fod ef ei hun yn llawn asbri. Ni welwn yn fy myw fod gobaith adferiad iddo ar ôl y fath driniaeth. Dywedais hyn wrth William mewn llythyr, a dyma ateb William: "Gobeithio y caiff fynd yn sydyn, heb fawr o ddioddef".

Ond William a fu farw yn sydyn, ac o flaen John. Felly collais yn niwedd 1945 ddau frawd annwyl iawn, o fewn pythefnos i'w gilydd. Bu marwolaeth William yn ergyd drom i mi. 'Roeddem wedi treulio cymaint o amser gyda'n gilydd, heblaw hynny 'roeddem wedi treulio bob haf gyda'n gilydd ers blynyddoedd yn y Garn, ac nid yw'r Garn yr un i mi ar ôl colli William. Ychydig wyf wedi sôn amdano ar ôl iddo adael y Garn. Ar ôl iddo briodi, yn ei deulu bach ei hun 'roedd ei ddiddordebau yn naturiol. Symudodd i gylch gweinyddiaeth o fyd gwyddoniaeth, camgymeriad dirfawr. 'Roedd yn wyddon-ydd da a chafodd ei D.Sc. am ei archwiliadau. Claddwyd ei dalentau yn hollol ym mud gweinyddiaeth, fel H.M.I. o dan y Bwrdd Addysg. 'Roedd yn wahanol iawn i John. Un tawel, tawedog, anymwthgar, oedd William, dwys ei feddwl a thyner ei ddull. Ni fynnai dynnu'n groes i neb. 'Roedd ganddo yntau ei ddiddordebau ond cadwodd eu ffrwythau iddo ei hun. Ni feiddiai gredu y byddent o werth i eraill. 'Roedd er enghraifft wedi 'sgrifennu cyfrol yn Saesneg ar Gynghanedd—gwaith gwych—ond ni fynnai ei gyhoeddi. Wrth golli William collais y tyneraf a'r anwylaf o'm brodyr.

Ysywaeth nid oes yn awr ond dau ohonom yn aros o'r saith plentyn—Hugh yn 85 a minnau yn tynnu at 89 mlwydd oed, Hugh yn y Garn a minnau ymhell o Gymru, ymhlith Saeson Kent, ond gyda'm plant.

Nid wyf wedi son fawr am fy mywyd yn Llanrwst ar ôl priodi, nac am fy mhlant. Collais ddau blentyn yn ifanc, ond cefais yr hapusrwydd o weld dwy ferch yn tyfu, a theimlo eu cariad a'u gofal. Ond nid amdanynt nac am y to presennol y dewisais 'sgrifennu. Cyfrol arall yw eu gyrfa hwy ac nid fy llaw i sydd yn addas i'w sgrifennu. Am deulu'r chwarelwr o Lanrwst a'i wraig a'r saith plentyn y dewisais sgrifennu, er cofnodi i'm hwyres (ac yn awr i'w mab bach) rhyw gymaint o "Gymru Fu".

Wrth droi yn ôl at ddechrau fy atgofion, ac wrth syllu ar amgylchiadau'r dydd yn awr, ni allaf lai na meddwl fod y cylch wedi troi yn gyfan. Soniais am "austerity" y dyddiau a fu. Erbyn heddiw ofnaf fod y gair vn gyfarwydd iawn i bawb ohonom. Er mai ar "austerity" y cawsom ni'r plant ein magu, yr oeddym yn meddu ar ddigon o *ryddid*. Câi fy nhad godi cwt mochyn heb ofyn caniatâd i neb ac heb ofyn am drwydded i'r Llywodraeth. Câi fy mam bob rhyddid i besgi mochyn bob blwyddyn a'i ladd at iws y teulu, heb ofyn am hawl a heb fod tan orfodaeth i rannu'r mochyn a'r Llywodraeth !

Hyd y cofiaf, ni buom erioed heb gig ffres ar y Sul. Byddai gennym ddigonedd o gig moch cartref drwy'r flwyddyn, a digon o fwyd plaen, ac yr ydym fel plant wedi byw i oedran teg, ond dau. Rhaid felly fod y bwyd a gawsom wedi bod o les inni !

Clywir llawer o sôn heddiw am "the bad old days" (gan rai na wyddant ddim amdanynt !) Gwir mai isel oedd y cyflogau o gymharu'r *rhif* â chyflogau heddiw. Eto, er prinned y cyflogau caed llawn *gwerth* yr arian. Cofiaf fel y prynai Mam a Nain ben dafad yn glwm wrth y corn gwddw a'r iau a'r galon—y cyfan am ddeg ceiniog, ac yn ddefnydd mwy nag un pryd da. Cofiaf am y troliau penwaig a'r gweiddi "penwaig ffres, *pymtheg am chwech*". Arferai fy nhad ddweud stori am gyfaill yn galw mewn fferm yn Llŷn i ymofyn gwerth tair ceiniog o wyau. Dechreuodd yr hen wraig eu cyfrif. Pan ddaeth at y pymtheg dywedodd y dyn wrthi'n gyffrous : "Am werth tair ceiniog y gofynnais i". A meddai'r hen wraig, "Wel, plâg ar dy galon ! tydw i ddim ond *un* yn fyr o'r cyfrif".

Mae'n wir na welsom fel teulu o blant erioed bapur pum punt. Ond, ni welsom erioed arian *papur*, chweugain a phunt. Hanner sofran *aur* a sofran *aur* oedd gennym yr adeg honno, a gwerth pob un yn llawn, a phawb a phob gwlad yn falch o'u derbyn. Yr oedd sofran *yn* sofran ac yn prynu mwy nag a geir heddiw am bapur pum punt. A phwy heddiw, o blith ieuenctid, a welodd sofran aur erioed ?

Mae'n wir fod heddiw lawer mwy o fanteision, mwy o freintiau, pensiynau, *family allowances*, ac felly yn y blaen, a'r gweithwyr yn ennill o leiaf £5 yr wythnos. Eto mae llawer mam yn ffaelu â chael y ddau ben llinyn ynghyd, a phrisiau popeth yn codi beunydd. A heddiw, allan o'r gyflog rhaid talu cost y diddordebau newydd—y sinema, y rasus cŵn, y *football pools*, ar amryw diddordebau eraill sydd heddiw yn anhepgorol angenrheidiol i'r rhan fwyaf o'r boblogaeth.

Hwyrach y bydd i ieuenctid y to newydd ddatblygu Cymru Fydd well nag a welsom erioed. Mae ieuenctid yr oes hon wedi eu gwneud o gystal defnydd ag a welwyd erioed—os bydd iddynt gael chwarae teg i ddatblygu mewn heddwch, ac mewn rhyddid. Mae llyffetheiriau o bob math yn dynn o'u cwmpas. Hwy yn unig a all eu chwalu a'u hysgubo ymaith. Dyna fy ngobaith, dyna fy ffydd—y bydd y gorau o'r hen Gymru Fu yn wraidd i flodau hardd y Gymru Newydd.